Éduquer les enfants

UNE VISION PROTESTANTE DE L'ÉCOLE

CONFESSIONNALITÉ
LAÏCITÉ
MISSION DE L'ÉCOLE

•

Ouvrage collectif
sous la direction de
Glenn Smith

Éduquer les enfants

UNE VISION PROTESTANTE DE L'ÉCOLE

CONFESSIONNALITÉ
LAÏCITÉ
MISSION DE L'ÉCOLE

•

Ouvrage collectif
sous la direction de
Glenn Smith

215, rue Caron, bureau 203,
Québec, Qc G1K 5V6

Éditions du Sommet
215, rue Caron, bureau 203
Québec (Québec) CANADA G1K 5V6
Téléphone : (418) 649-1166
Télécopieur : (418) 525-4007
Courrier électronique : edclair@qbc.clic.net
Site Web : www.qbc.clic.net/~edclair

Infographie : *Infographie Au bord du ruisseau*, Québec, Qc.
Impression : Imprimerie AGMV Marquis, Montmagny, Qc.

Diffuseurs :
Excelsis (France)
B.P. 11, 26450 Cléon d'Andran
Éditions Emmaüs (Suisse)
Route de Fenil 40, 1806 St-Légier
Le Bon Livre (Belgique)
Rue du Moniteur 7, B-1000 Bruxelles
CCAF (Canada)
(Centre de commercialisation de l'Amérique francophone
215, rue Caron, bureau 203, Québec (Québec) G1K 5V6

Dépôt légal : 2e trimestre 1998
Bibliothèque nationale du Québec
Bibliothèque nationale du Canada

ISBN 2-921840-31-6

LES AUTEURS

Ken Badley

Ken Badley a enseigné la philosophie de l'éducation à l'*Institute for Christian Studies* à Toronto. Il s'intéresse au statut légal des écoles indépendantes, aux études juridiques portant sur l'enseignement religieux et l'enseignement sur la religion dans les écoles publiques à subvention gouvernementale, sur l'autorité du professeur, sur l'enseignement de la doctrine, sur les réclamations en faveur d'un enseignement neutre. Il est l'auteur de *World Views : The Challenge of Choice*. Il est marié à Jo-Ann Funk et père de deux adolescentes.

Jean Baubérot

Jean Baubérot est directeur d'Études à l'École Pratique des Hautes Études (Sorbonne), (« Histoire et Sociologie de la Laïcité », la seule chaire consacrée à la laïcité dans l'enseignement supérieur français). Il est le président d'honneur de la Section des Sciences Religieuses de l'École Pratique des Hautes Études ainsi que le directeur du Groupe de Sociologie des Religions et de la Laïcité (G.S.R.L.), Unité mixte de Recherches CNRS-EPHE en plus d'être chargé de Mission au cabinet de Madame La Ministre, madame Ségolène Royal, déléguée aux Enseignements Scolaires.

Bruno Désorcy

Bruno Désorcy est membre du Comité protestant du Conseil supérieur de l'éducation du Québec. Il a rédigé le rapport *Les jeunes du secteur protestant* en 1993 ainsi que codirigé, de 1994 à 1995, une vaste enquête avec Direction Chrétienne inc., portant sur le ministère urbain dans la Francophonie. Auteur de plusieurs articles sur le sujet de la foi chrétienne et de la culture, il a terminé une maîtrise en sociologie de la culture. Il est marié à Sylvie LaPerrière et père de deux enfants d'âge préscolaire.

Nathan H. Mair

Nathan Mair est historien et éditeur du livre *Recherche de la qualité à l'école publique protestante du Québec* traduit de l'anglais : *Quest for Quality in the Protestant Schools of Québec*.

Yvonne M. Martin

Madame Yvonne Martin est professeure adjointe à la Faculté d'éducation de l'université de Victoria en Colombie-Britannique. Son enseignement et sa recherche se situent dans le domaine de la foi et de la politique sur l'éducation au Canada. Elle est mariée à Charles Newcombe et mère de deux enfants d'âge scolaire.

Glenn Smith

Glenn Smith est docteur en théologie urbaine. Sa femme Sandra et lui sont les parents de trois filles : Jenna, Julia et Christa. Glenn détient une maîtrise en patrologie de l'université d'Ottawa et un doctorat en théologie contextuelle du *Northern Baptist Theological Seminary* de Chicago. Pendant six ans, il a été membre du Comité protestant du Conseil supérieur de l'éducation et de 1991 à 1993, il en a été le président. Il a aussi été, de 1992 à 1993, le président du Rapport annuel du Conseil supérieur de l'éducation. Il est, depuis 1993, le président de la Table de concertation protestante sur l'éducation. Depuis 15 ans, il est le directeur général de Direction Chrétienne, centre de ressources interconfessionnel axé sur la mission urbaine au Québec. Il enseigne la théologie urbaine et la missiologie dans deux facultés protestantes de Montréal.

Brenda Watson

Brenda Watson est une consultante dans le domaine de l'éducation pour le *Farmington Trust*. Elle enseigne à temps partiel et donne des conférences au *Didsbury College of Education* en plus d'être la directrice du *Farmington Institute* à Oxford. Elle entretient une étroite relation avec un grand éventail d'écoles et de professeurs. Elle est l'auteure du livre *Education and Belief* (Blackwell, 1987), et travaille actuellement à un ouvrage pour *Longman's Effective Teacher Series*. Elle est également l'éditrice du livre *Priorities for Religious Education* (Falmer).

PRÉFACE

Glenn Smith

Pour la majeure partie des quatre dernières décennies, le Québec a débattu la question de la place de la religion à l'école. Ce débat est né du déclin de l'importance, sur le plan social, des institutions religieuses[1] qui a balayé les sociétés occidentales au cours du dernier siècle et le Québec depuis les années 1960.

À l'aube du XXIe siècle, le Québec a demandé la modification de la Constitution canadienne touchant les structures confessionnelles dans les villes de Montréal et de Québec, a déconfessionalisé ses commissions scolaires et a lancé un débat officiel sur le rôle de la religion dans le système d'éducation public.

Ce livre contient la contribution des protestants sur ces questions. Nous croyons qu'une personne peut être à la fois un chrétien engagé, capable de réflexion et un chrétien qui croit que la religion a sa place dans le système d'éducation public.

Durant la dernière décennie, plusieurs ouvrages très informatifs ont été écrits sur le sujet à partir de visions du monde spécifiques. On pense, entre autres, à l'ouvrage *Les mensonges de l'école catholique* de Daniel Baril[2] qui plaide en faveur de la laïcisation[3] du système. Baril ne cache jamais ses intentions de supprimer toute religion des écoles du Québec. Ce livre est rempli d'exagérations et d'informations erronées mais, il représente tout de même un point de vue.

Un autre ouvrage, *Religion, éducation et démocratie*[4], celui-ci beaucoup plus utile au présent débat, a été rédigé par Micheline Milot et Fernand Ouellette. Il devient très évident en lisant ce livre, que les auteurs attaquent l'héritage légué par l'Église catholique romaine au système d'éducation public du Québec. Le plaidoyer implicite que les auteurs font en faveur d'une neutralité emprisonne ce livre dans une vision moderne du monde qu'ils aimeraient tellement voir adopter par les Québécois. Leur société apparaît comme un lieu stérile, esseulé, sourd aux réalités des choix et des spiritualités, façonné par une « religion » de leur propre cru.

Le livre que nous vous présentons, même s'il est sympathique aux nombreuses questions soulevées dans l'ouvrage de Milot et de

Ouellette, emprunte un autre chemin et traite du sujet différemment. Notre plaidoyer part d'une perspective de foi qui considère la diversité des choix mais qui est tout aussi en faveur de la dimension spirituelle que nous croyons essentielle à toute éducation.

Même si ce livre s'adresse en premier à la communauté protestante du Québec, nous espérons qu'il permettra à tous les autres lecteurs de découvrir ce que pensent les protestants sur ce sujet.

Pendant longtemps, on a étiqueté le « système protestant » comme un système non catholique ou pire, comme un système neutre. Même si cette perspective a été constamment réfutée, ce livre expliquera pourquoi le système protestant ne revêt pas ces deux définitions fautives[5].

Et afin de donner au lecteur des points de repère sur la vision protestante du monde, nous pensons qu'il serait utile de définir quelques caractéristiques confessionnelles et leurs répercussions dans la sphère publique des idéologies. J'aimerais aussi jeter un peu de lumière sur quelques « valeurs-clés[6] » auxquelles la grande majorité des protestants s'identifient et qui sont détaillées ci-après. C'est le protestantisme vu de l'intérieur.

Quelques caractéristiques confessionnelles	**Conséquences**
1. L'Écriture sainte est la référence unique en matière de foi et de vie. La Bible, dans laquelle chacun trouve un SENS pour sa vie, est une source productrice de valeurs mais aussi une source de critique des valeurs. L'Église est accompagnatrice de cette recherche plutôt que seule « interprète ».	Une inclination vers la quête personnelle. Un goût pour l'examen critique. La formation du jugement personnel. L'émancipation culturelle. L'homme a besoin d'exercer son intelligence, de s'ouvrir à la connaissance. Le protestantisme a privilégié l'éducation.
2. Le salut ne dépend pas des qualités ni des mérites. Le salut est un DON (une grâce), la foi est une réponse libre et responsable de l'homme à un appel de Dieu (L'Alliance).	L'égalité de chances fondamentale entre les hommes (d'un autre ordre que l'égalité naturelle par exemple). Le respect de l'autre, moins parce qu'il est « mon double », semblable à moi, mais parce qu'en deçà des différences, il a, comme moi, toute sa valeur, toute sa dignité, toutes ses chances.

De là procèdent :
un message général de confiance plutôt que de défiance à l'égard de l'homme ; un appel à la fraternité et à la solidarité dans la société.

3. Chaque croyant a, dans l'Église, une place égale, même si une fonction différente est confiée à chacun.
Le protestantisme a mis en place des organisations collégiales, sans autorité hiérarchique en matière religieuse. Le sacerdoce est universel.

Le droit à la parole pour tous. Chacun peut s'exprimer au même titre que les autres. Notamment, personne ne peut se poser en « gardien du temple », en détenteur du pouvoir ou du savoir unilatéralement, autoritairement, infailliblement.

4. Le protestantisme :
un MOUVEMENT

On ne peut rester figé dans ses positions, dans des certitudes. On ne peut se contenter de reproduire des modes de fonctionnement habituels, sclérosés. On est appelé à se réformer sans cesse.

5. Pas de PERSONNES, pas de LIEUX, pas d'INSTITUTIONS sacrées. Donc pas d'intermédiaires ou de médiateurs obligés entre l'homme et Dieu.

Le refus de tout absolutisme, de tout totalitarisme, de tout système de soumission qui s'imposerait à la conscience.

Le respect de chaque personne dans son propre cheminement.

La reconnaissance du pluralisme, de la pluralité des approches personnelles.

À la lumière de cette présentation, je trouve qu'il est préférable de parler de « la réalité des protestantismes ». Ce mouvement est tout sauf homogène et cette affirmation est tout aussi vraie en éducation[7].

Il y a des protestants qu'ils ne veulent aucune religion dans les écoles parce que les parents sont, sinon les seuls éducateurs, aidés des programmes d'école du dimanche de l'Église. D'autres désirent des écoles gérées par les confessions avec aussi peu d'intervention gouvernementale que possible. Au Québec, les protestants ne considèrent pas la modification de l'article 93 de la *Loi constitutionnelle de 1982* comme ayant été une bonne affaire. Nombreux sont ceux, y compris l'éditeur de ce livre, qui ont une forte aversion à faire appel à la clause dérogatoire pour protéger la religion dans les écoles.

Mais, il y a tout de même un dénominateur commun qui cimente la diversité du mouvement – tous sont engagés à veiller à ce que toute vie publique soit en relation avec le Créateur et sa révélation en Jésus-Christ ainsi qu'avec la création et les Saintes Écritures. Il n'y a aucune dimension de la vie qui existe sans la grâce, l'amour et le règne de Dieu. Nous ne nous entendons pas toujours sur les modes (comme on peut le constater par la variété des confessions auxquelles les protestants appartiennent), mais un profond respect envers l'intégration de la foi à toutes les dimensions de la vie, y compris le monde de l'éducation, nous anime tous[8].

Le lecteur se rendra vite compte que ce livre est réparti en six sections, contenant chacune des chapitres qui explorent un thème sous divers angles. L'introduction tente de répondre à la question : « Pourquoi éduquons-nous nos enfants et avec quelles valeurs ? »

J'aimerais remercier le Comité protestant du Conseil supérieur de l'éducation de nous avoir donné la permission de publier de nouveau le document *Les valeurs éducatives protestantes*. La section historique aide le lecteur à mieux se diriger dans le dédale du protestantisme, et plus particulièrement le protestantisme au Québec. J'aimerais de nouveau remercier le Comité protestant du Conseil supérieur de l'éducation d'avoir donné son assentiment à la publication du deuxième chapitre du livre *Recherche de la qualité à l'école publique protestante du Québec* de Nathan H. Mair.

Je tiens aussi à remercier le professeur Jean Baubérot qui a contribué de manière significative à ma compréhension de la laïcité et de l'histoire du protestantisme en France – pas une tâche facile lorsque l'apprenti est un Québécois et un protestant. Son chapitre, « Protestantisme français et la vision libérale de la religion », faisait partie du livre *Le libéralisme religieux*, édité par Alain Dierkens (Bruxelles : Éditions de l'Université de Bruxelles, 1992).

Le cadre contextuel explore les questions qui sont souvent soulevées au Québec et qui sont considérées comme des raisons pour supprimer la religion dans les écoles, comme la sécularisation, le pluralisme[9] et notre propre histoire en sol québécois.

J'aimerais remercier *Œcuménisme*, la revue du Centre Canadien d'Œcuménisme, de nous avoir donné la permission de reproduire certains de leurs articles.

La quatrième section présente une perspective plus philosophique et scolastique du thème. L'article écrit par Ken Badley a aussi été publié dans la revue *Œcuménisme*.

La cinquième section invite le lecteur à découvrir comment ces questions sont perçues en Europe de l'Ouest[10].

La conclusion nous offre des principes qui, je crois, nous aideront, dans le cadre du débat sur la confessionnalité et déconfessionalité des structures, à comprendre comment on peut enseigner la spiritualité dans le contexte actuel.

En lisant ces pages, plus d'un lecteur fera sûrement le commentaire suivant : *Mais que pensez-vous des écoles confessionnelles, du programme d'enseignement moral et religieux et des services confessionnels ?* Nous avons évité cette question de façon intentionnelle, parce que nous voulions faire place à une nouvelle façon de penser à propos du rôle de la dimension spirituelle de la vie dans la vie publique d'une culture, particulièrement dans la sphère éducative. Mais, afin de faciliter la lecture de ce livre, je tiens à introduire le plus clairement possible les trois principes directeurs suivants que soutient la Table de concertation protestante sur l'éducation.

Nous affirmons que la dimension spirituelle est un élément indispensable en éducation. En tant qu'êtres humains, nous vivons selon un ensemble de croyances, de valeurs ou d'idées qui imprègnent et orientent nos actions. Les croyances religieuses et la spiritualité font partie intégrante de cette vision de la réalité.

Nombreuses sont les voix qui résonnent dans le présent débat et qui désirent marginaliser cette dimension de la vie (la religion devrait être enseignée à la maison ou à l'église) ou l'éliminer complètement. Ce raisonnement est manifestement absurde comme l'explique Bruno Désorcy dans son article sur les mythes. Nous préférons une solution plus utile en admettant que tous possèdent une vision du monde, de nature religieuse et idéologique, qu'ils intègrent aux programmes d'enseignement et au caractère de l'école.

Ensuite, nous considérons important dans la culture éducationnelle actuelle d'affirmer la priorité du choix des parents à l'intérieur des programmes d'enseignement de leurs enfants.

Il est vraiment justiciable de donner la priorité aux parents en matière d'éducation de leurs enfants, mais désormais toutes les lois du Québec en matière d'éducation pèsent dans la balance, selon la Charte québécoise des droits et libertés et les accords internationaux que le Canada a signés[11].

Finalement, si un groupe de parents veulent un certain type d'éducation et peuvent montrer qu'il peut être offert de façon responsable, le gouvernement devrait, par conséquent, statuer en faveur de cette éducation et fournir les fonds nécessaires à sa réalisation.

Ce principe, loin d'être radical, réside au cœur de la vision de l'école de quartier qui oriente toute l'éducation du Québec depuis le XIXe siècle. La Table croit que ce principe découle des deux premiers et permet, par exemple, aux parents qui croient que leur vision du monde et les questions s'y rattachant peuvent s'exprimer dans un projet éducatif spécifique, d'avoir accès au projet qui les intéresse. La société dont le gouvernement gère les affaires a le droit de s'attendre à ce que tout citoyen soit éduqué pour ainsi contribuer au mieux-être de toutes les sphères de la vie. C'est pourquoi, le gouvernement devrait établir la mission de l'éducation, ses objectifs larges, le régime pédagogique, les compétences des enseignants et les normes des établissements. Mais le gouvernement devrait aussi délaisser les solutions « mur-à-mur » qui n'ont su, jusqu'à maintenant, que contribuer au présent malaise.

Nous croyons que de ces principes naîtra un nouveau dialogue dans le contexte actuel portant sur les modalités d'un débat qui a maintenant presque 40 ans. Nous pouvons choisir aussi d'ignorer la question (comme deux récentes enquêtes du gouvernement le suggèrent avec les profils de sortie en éducation et les questions sur les programmes d'enseignement[12]). Mais, nous choisirions cette dernière option à nos risques et périls.

Lorsque je terminais le travail d'édition de ce livre, un ami m'a parlé d'une pièce de théâtre qu'il a vue sur la vie de Joseph, le jeune fils du patriarche Jacob, vendu comme esclave en Égypte. Les juifs le voient toujours comme un de leurs grands chefs. Son histoire se trouve en Genèse 37-50. La pièce tirait à sa fin quand mon ami a entendu une jeune femme demander à ses amis : *Est-ce la vraie vie de Joseph, le père de Jésus ?* Se tromper sur les noms des personnes dans la Bible est chose courante. Mais, être incapable de discerner les histoires culturelles racontées par les arts est alarmant[13].

Et ce n'est que la pointe de l'iceberg. L'analphabétisme religieux et spirituel devrait donner la frousse à toute culture.

C'est à l'automne 1993, à l'invitation de la ministre de l'Éducation de l'époque, que les confessions protestantes au Québec ont commencé à se réunir afin d'établir un dialogue avec le ministère de l'Éducation. Les pourparlers devaient porter sur des questions dont les confessions se souciaient et qu'elles auraient à articuler selon leur perspective protestante. En juin 1994, la Table de concertation protestante sur l'éducation émergeait de ce dialogue. Ce livre découle de mon désir, en tant que président de ce partenariat, d'apporter une cohérence aux réflexions de la Table sur l'éducation au Québec, si essentielle et nécessaire au débat actuel. Et je désire redonner ce livre à l'Église, comme un don que je lui fais.

Un livre n'est pas entièrement achevé tant que l'auteur n'a pas exprimé ses remerciements à ses collaborateurs. Je tiens à remercier Bruno Désorcy pour ses idées et pour les deux chapitres qu'il a contribués. Ce livre n'aurait jamais vu le jour sans le travail diligent de ma collègue, Carole Tapin, de Direction Chrétienne. J'apprécie énormément ses idées, sa vision et ses habiletés. Un remerciement à mon cher ami, Grant Hawley, le sous-ministre associé de foi protestante. Les mots ne peuvent exprimer ma reconnaissance pour l'amitié qui nous unit depuis 1993, alors que nous avions entrepris de parcourir ce chemin « protestant ».

Et, finalement, en tant que père qui regarde ses trois jeunes adolescentes évoluer au sein du système d'éducation du Québec, je tiens à remercier mes filles pour leurs commentaires bien à elles touchant les grandes questions de la vie et leur milieu scolaire.

DÉFINITIONS IMPORTANTES

Laïcité

La laïcité désigne le mouvement qui consiste à *faire passer la religion de la sphère publique à la sphère privée, du domaine de l'État au domaine privé.* C'est un concept qui définit juridiquement les rapports entre État et Églises, l'État se devant désormais d'être totalement neutre dans ce domaine. On peut considérer que la laïcité est une valeur, liée à la liberté individuelle, défendue par les Droits de l'homme, inséparable de la conception française de la démocratie.

La sécularisation

Le processus par lequel (partant du centre et se déplaçant vers l'extérieur), des secteurs de la société et de la culture ont été successivement libérés de l'influence décisive des idées et institutions religieuses, rendant celles-ci moins significatives et plus marginales.

La religion

Le champ des significations ultimes de toutes les activités humaines. Cependant, malgré la valeur considérable des analyses de la religion, on ne peut réduire le phénomène religieux à une de ses composantes sociale, politique, psychique ou autre. Ces composantes ne suffisent pas à faire ressortir le caractère unique du phénomène religieux dans toutes ses manifestations, qu'elles portent le nom de « sacré », de « profondeur de l'être » ou de « Dieu ».

En bref, la religion n'est pas une idéologie uniforme. On nous avise donc de tenir compte de cette grande diversité, de cette tension fondamentale entre les mentalités orientales et occidentales, pour mieux comprendre le sujet dans ses différentes composantes. Celles-ci peuvent être issues des doctrines traditionnelles des diverses religions ; il peut s'agir de leurs mythes et symboles, de leurs textes sacrés, de leurs valeurs, de leurs lieux et objets sacrés, de leurs rites et de leurs enseignements mystiques.

Privatisation

Le processus par lequel, dans un contexte de modernisation, une scission se produit entre les sphères publique et privée de la vie. Ce processus met l'accent sur la sphère privée et la considère comme un tremplin pour l'expansion de l'actualisation de soi et de la liberté individuelle.

La pluralité culturelle

La pluralité culturelle fait allusion à la présence dans la société de concentrations croissantes de gens venus d'autres pays ou ayant d'autres racines ethniques. Bien que le Canada soit enclin à se définir historiquement comme ayant deux peuples fondateurs, aujourd'hui, c'est l'image d'une véritable mosaïque qui s'impose. Par exemple, 168 pays sont représentés par près de 200 000 étudiants dans les huit commissions du Conseil scolaire de l'île de Montréal. Une immigration d'abord européenne a évolué et s'est transformée en un mouvement à dimension vraiment planétaire. Le conseil a publié en 1986 l'excellent document *L'expérience britannique,* de Anne Laperrière, qui éclaire cette situation.

La pluralité religieuse

La diversité religieuse est aussi à l'ordre du jour. Le vieux schème de pensée voulant que le Canada anglais soit protestant et que le Canada français soit catholique romain, a fondamentalement changé. Bien que 82 pour cent des Canadiens s'identifient encore comme chrétiens, le tableau ci-dessous illustre la diversité des affiliations religieuses au Canada selon le recensement de 1991.

Tableau
Les affiliations religieuses au Québec
(répertoriées par langue maternelle)

Affiliations	Francais	Anglais	Total	Qc	Canada
Catholique romaine	5 259 145	249 005	5 861 205	86 %	46 %
Protestante	101 835	224 585	398 730	6 %	36 %
Orthodoxe de l'Est	5 435	8 260	89 285	2 %	1 %
Aucune affiliation	163 875	51 605	262 800	4 %	13 %
Autres affiliations	11 705	10 910	100 500	1 %	3 %
Juive	14 100	54 780	97 730	1 %	1 %

Source : Statistique Canada 1991
(Les langues autres que le français et l'anglais ainsi que le choix multiple de langues maternelles autres que le français et l'anglais n'apparaissent pas ici mais sont inclus dans le total.

Que 16 pour cent des Canadiens choisissent d'inscrire « aucune » ou « autres religions du monde » pour définir leur propre affiliation religieuse marque un changement dramatique avec les années précédentes. De 1961 à 1981, au plan national, le pourcentage est passé de 1 pour cent à 7,3 pour cent. Aujourd'hui, en Colombie-Britannique seulement, 20,5 pour cent de la population n'indique aucune affiliation religieuse. En fait, Vancouver étale une désaffiliation religieuse plus marquée qu'aucune autre ville canadienne.

Le pluralisme

Le pluralisme a aussi une troisième dimension dont on parle souvent comme d'un *pluralisme idéologique*. Quant à l'hypothèse fondamentale que l'on forme sur la façon dont le monde fonctionne, un consensus antérieur au sujet des croyances fondamentales a cédé la place à ce qu'on appelle souvent le *relativisme*. Aujourd'hui, la société canadienne nous encourage à être « tolérants » et dans toutes nos façons de penser, à comprendre qu' « il y a diverses façons de croire et de se comporter et que toutes sont également vraies ».

ANNEXE 1

CHARTE DES DROITS ET LIBERTÉ DE LA PERSONNE
(L.R.Q., c. C-12)

Article 41 (Enseignement religieux ou moral). « Les parents ou les personnes qui en tiennent lieu ont le droit d'exiger que, dans les établissements d'enseignement publics, leurs enfants reçoivent un enseignement religieux ou moral conforme à leurs convictions, dans le cadre des programmes prévus par la loi. »

DÉCLARATION UNIVERSELLE DES DROITS DE L'HOMME (résolution 217A (III) du 10 décembre 1948).

Art. 26. (3) Les parents ont, par priorité, le droit de choisir le genre d'éducation à donner à leurs enfants.

PACTE INTERNATIONAL RELATIF AUX DROITS CIVILS ET POLITIQUES (résolution 2200 A (XXI) 16 décembre 1966).

(4) Les États parties au présent Pacte s'engagent à respecter la liberté des parents et, le cas échéant, des tuteurs légaux de faire assurer l'éducation religieuse ou morale à leurs enfants conformément à leurs propres convictions.

PROTOCOLE ADDITIONNEL À LA CONVENTION DE SAUVEGARDE DES DROITS DE L'HOMME ET DES LIBERTÉS FONDAMENTALES (signée à Rome, 4 novembre 1950). (1)

PREMIER PROTOCOLE ADDITIONNEL À LA CONVENTION EUROPÉENNE (signée à Rome le 4 novembre 1950). (2)

Art. 2. Nul ne peut se voir refuser le droit à l'instruction. L'État, dans l'exercice des fonctions qu'il assumera dans le domaine de l'éducation et de l'enseignement, respectera le droit des parents d'assurer cette éducation et cet enseignement conformément à leurs convictions religieuses et philosophiques.

Notes de la préface

---

1. Consultez la définition de la sécularisation à la page 13.
2. *Les mensonges de l'école catholique*, Daniel Baril (Montréal : Vlb, éditeur, 1995).
3. Consultez la définition à la page 13.
4. *Religion, éducation et démocratie*, éd. M. Milot et F. Ouellette, (Montréal : Harmattan inc., 1997).
5. Consultez aussi *Le fait protestant dans l'éducation au Québec* (Québec : Conseil supérieur de l'éducation, 1978).
6. L'auteur remercie La Fédération Protestante de France de lui avoir fourni la liste des caractéristiques confessionnelles, laquelle a a été adaptée pour les fins de ce livre.
7. Consultez le chapitre « Protestantisme au Québec depuis 1960 », pour un survol du protestantisme au Québec.
8. Sur ce point, il y a une convergence de plus en plus apparente entre chrétiens de toutes confessions. Ici, nous parlons d'une vision chrétienne sur l'éducation.
9. Consultez les définitions à la page 15.
10. Je tiens à remercier les éditeurs de ce livre pour la permission de traduire l'article « *Education and the Gospel* » de Brenda Watson dans *The Gospel and Contemporary Culture* (éd. Hugh Montefiore, London : Mowbray, 1992).
11. Consultez les articles sur les accords internationaux importants à la conclusion de cette préface. Le chapitre « La charte au sein de la classe », développe cette pensée.
12. Il s'agit de « Préparer les jeunes au 21e siècle : Rapport du Groupe de travail sur les profils de formation au primaire et au secondaire », juin 1994 et « Renouer le curriculum », juin 1997.
13. Cet aspect de la problématique est bien développé dans *La religion au lycée*, éd. Danièle Hervieu-Léger (Les éditions du Cerf : Paris, 1990).

CHAPITRE 1

POURQUOI ÉDUQUONS-NOUS NOS ENFANTS[1] ?

Quelques réflexions bibliques

Votre enfant est très spécial. Jésus affirme que le Royaume des cieux appartient aux enfants comme le vôtre (Mt 19.14). Les enfants sont bénis par Jésus parce qu'ils sont ouverts et réceptifs au don du Royaume. Nous constatons que, d'une façon simple et pourtant émouvante, les enfants peuvent faire preuve d'un engagement profond à la foi. De plus, il est dit que quiconque reçoit un enfant dans le nom de Jésus, c'est Jésus même qu'il reçoit. Cependant, quiconque entraîne un enfant à pécher s'attire de sérieux problèmes (Mt 18.5-6).

Voilà pourquoi l'éducation des enfants est une énorme responsabilité. Dieu appelle, en premier lieu, les parents et les tuteurs à aider les enfants à comprendre ce que vivre la vision chrétienne du monde dans toutes nos actions signifie. Non seulement les enseignants chrétiens en sont-ils des exemples vivants, mais ils sont aussi responsables de guider les enfants vers la découverte du plan que Dieu a pour sa création. Heureusement, les parents et les enseignants peuvent compter sur les grands-parents, les dirigeants de groupes de bénévoles et plusieurs autres pour relever le défi de la tâche éducative.

Cette tâche éducative se réalise tant à la maison qu'à l'église ou que durant les moments de récréation ou de sport – durant toutes les activités auxquelles l'enfant peut participer. Or, la raison d'être de l'école consiste à instruire. Il va de soi que certains aspects éducationnels varieront selon que l'enfant fréquente une école publique ou

---

1. Ce chapitre a été écrit par le groupe de travail sur l'éducation de l'Alliance évangélique du Canada. Les membres au moment de la rédaction étaient Glenn Smith (président), Brenda Babich, Ken Badley, Gary Duthler, Gary Hartlen, Kathy Hubley, John Janzen, David Knight, Robert Losier, Carla Nelson, Harro Van Brummelen et Aileen Van Ginkel. Lyne Dufresne et Carole Tapin ont assumé la traduction et l'adaptation en français.

Nous savons que Christ est venu afin de nous appeler à transformer la vie de personnes et de nations entières selon les fruits de son Esprit...

... mais nos programmes d'éducation n'amènent-ils pas souvent les élèves à se conformer à la croyance selon laquelle tous les points de vue sur la vie, les valeurs et les droits sont également valables ?

privée, ou encore selon qu'il reçoive son éducation à domicile. Mais l'éducation en soi s'adaptera à tous les contextes d'enseignement.

Plusieurs chrétiens consacreront leurs talents à l'éducation et à l'accompagnement d'élèves. L'influence qu'ils exercent n'est jamais neutre. Que nous orientions les enfants ou que nous choisissions délibérément de ne pas le faire, nous les influenceront d'une manière ou d'une autre. Si nous utilisons, par exemple, notre autorité pour épier les enfants, nous les mènerons soit à une soumission aveugle, soit à une rébellion entêtée. Et si nous les gâtons en omettant d'exercer une autorité saine qui impose des limites, nous les menons vers un égocentrisme capricieux. Aucune de ces deux directions ne reflète l'enseignement biblique ; au contraire, toutes deux auront des conséquences néfastes dans la vie des enfants. Or, ce que ces exemples montrent clairement, c'est que l'éducation n'est pas une entreprise dénuée de parti pris, ni dans sa structure, ni dans son contenu.

Éduquer pour transformer des vies

Pour les chrétiens, la direction que doit suivre l'éducation est claire. Dieu veut que nos enfants connaissent sa parole et ses directives. Il veut que l'éducation serve à transformer leur cœur, leurs pensées, leurs relations et leur engagement dans le monde qu'il a créé. Dès leur naissance, les enfants ont besoin d'apprendre et de sans cesse réapprendre ce que l'amour de Dieu signifie pour eux. Comme c'est beau lorsque des parents chrétiens sensibilisent leurs enfants aux besoins des autres, particulièrement à ceux des moins nantis. Comme c'est gratifiant lorsque les responsables de tout petits enfants à l'Église conduisent ceux-ci à la foi en leur racontant l'histoire du salut en Dieu. Comme c'est réjouissant de constater que des chrétiens enseignant à la maternelle ont réussi à amener leurs élèves à résoudre leurs conflits avec leurs compagnons de classe. Comme c'est exaltant lorsque le travail des apiculteurs amène les enfants à s'émerveiller devant Dieu et sa complexe ruche. Et comme c'est encourageant lorsque les enfants découvrent par eux-mêmes la beauté de la création de Dieu en s'attardant aux fleurs, au vol d'un oiseau ou en écoutant un air de flûte.

La Bible enseigne aux parents et à leur communauté de foi à éduquer les enfants selon les voies du Seigneur. C'est en faisant ce qui est droit et juste (Gn 18.19) que nous amènerons les enfants à suivre le Seigneur. Dieu s'attend à ce que nous enseignions à nos enfants à observer sa loi d'amour, qu'importe leur contexte d'apprentissage (Dt 6.1-8). Il invite toute la communauté chrétienne à raconter aux enfants les grands exploits du Seigneur et à leur parler de ses ordonnances

On part pour l'école !... mais pourquoi ? (1)

C'est le premier jour d'école d'Isabelle ! Elle est à la fois enthousiasmée et quelque peu craintive. Ses parents partagent bien ses sentiments.

Quand Isabelle et sa mère arrivent à l'école, un journaliste d'une station locale de télévision leur demande, ainsi qu'à d'autres, pourquoi c'est important d'aller à l'école. Ce soir-là, elles écoutent les nouvelles locales à la télévision. Isabelle s'entend dire qu'elle veut apprendre à lire alors que son ami Jonathan répond : « J'veux apprendre des choses, parce que j'veux devenir pilote. » Les parents, pour leur part, livrent en entrevue les raisons suivantes :

- afin que Fatima reçoive une bonne base et puisse se trouver un bon emploi ;
- afin qu'Éric ne traîne pas les rues et ne se mette pas les pieds dans les plats ;
- afin que Sylvie puisse se tailler une place sur le marché économique international ;
- afin que Vito puisse devenir un génie des nouvelles technologies qui dirigent le monde ;
- afin que Marie-Christine puisse choisir ses valeurs et devenir une citoyenne responsable ;
- afin que Pierre puisse apprendre à être tolérant envers les gens qui ont un arrière-plan et un style de vie différents du sien ;
- afin que Jean-Olivier résiste à l'oppression et à l'exploitation, et qu'il contribue à créer une société plus humaine.

Les parents répondent différemment à la question : « Pourquoi fréquenter l'école ? » Leurs réponses reflètent ce qui leur importe dans la vie. Leurs réponses traduisent leurs convictions sur l'identité de leurs enfants et le rôle que ceux-ci ont à jouer dans leur environnement immédiat. Leurs réactions révèlent quel rôle ils pensent que l'école devrait jouer dans l'éducation de leurs enfants.

Les gens pensent très différemment sur l'identité des enfants et la place, actuelle et future, que ces derniers tiennent dans la société. Est-ce que les enfants doivent devenir de simples producteurs et consommateurs de biens et de services ? Seront-ils possiblement des fauteurs de troubles que la société aura à discipliner sévèrement ? Seront-ils des personnes qui auront à se battre pour survivre – comme la loi du plus fort le dicte ? Seront-ils des techniciens qui maîtriseront les dernières percées technologiques ? Seront-ils les futurs citoyens d'une société à laquelle ils contribueront en se servant des vastes connaissances ainsi que des valeurs qu'ils auront acquises ? Devons-nous les encourager à devenir tolérants face aux divers comportements et croyances ? Seront-ils possiblement des personnes subversives qui essaieront de déraciner l'injustice de nos sociétés ? La façon dont les gens répondent à la question : « Pourquoi éduquer ? », en dit long sur la perception qu'ils ont de leurs enfants.

porteuses de vie (Ps 78.16-17). Dieu nous interpelle à former et à éduquer nos enfants sans les irriter (Ép 6.4).

Il incombe aux parents d'initier leurs enfants à l'amour de Dieu ainsi que de les aider à discerner son appel pour leur vie. Dieu exige que nous apprenions à nos enfants à être des disciples à l'écoute de Jésus-Christ, pleinement dévoués à lui. Ils doivent comprendre que Dieu leur a donné des capacités bien spéciales ; qu'il les appelle à utiliser leurs dons pour le servir ainsi que ceux qui les entourent – ils enrichissent de cette manière leur propre vie. De tout leur être, ils doivent communiquer ce que les enseignements du Christ signifient pour la société contemporaine.

L'éducation, en d'autres mots, doit aider les enfants à répondre avec certitude à l'appel de Dieu qui consiste à l'aimer, à le louer et à le servir dans le monde qu'il a créé. Selon la volonté de Dieu, les enfants acquièrent des aptitudes, des connaissances, du discernement et de la sagesse. Grâce à cet apprentissage, nous les encourageons à s'attacher aux valeurs bibliques et à en adopter les comportements. Ils approfondissent leur compréhension de comment les hommes ont façonné le monde et de comment ils peuvent agir de façon responsable au sein de leur famille, leur communauté, leur société et dans le monde que Dieu a créé. Ils acquièrent les moyens nécessaires pour tirer profit de l'héritage qu'ils ont reçu et même pour le transformer.

Jour après jour, l'éducation doit orienter les enfants vers une vie de disciple responsable. Jésus lui-même a dit qu'une telle vie est possible quand nous accueillons les enfants en son nom.

L'appel de Dieu dans nos vies

Afin de comprendre pourquoi nous éduquons les enfants, nous devons premièrement porter attention à ce que Dieu envisage pour nos vies. Dieu a créé les êtres humains à son image ou à sa ressemblance. Nos enfants ont donc une relation bien spéciale avec Dieu. Chacun d'eux est très précieux à ses yeux ! Chacun d'eux représente un cadeau que Dieu nous fait. Tous possèdent des talents et des aptitudes qui leur sont uniques. Et Dieu s'attend à ce que chacun mette à profit ses dons et le glorifie en les mettant à son service, contribuant ainsi à l'essor d'une société fidèle, miséricordieuse et juste. Vivre à l'instar de l'image de Dieu n'est pas un idéal impossible. Au contraire, cela se traduit par une éducation qui doit encourager et guider les enfants à refléter l'amour, la gloire et les soucis de Dieu dans leur quotidien.

Jésus dit clairement que le premier appel de nos enfants est d'aimer Dieu par-dessus tout et d'aimer les autres comme eux-mêmes (Mc 12.29-31). Toutefois, la Bible est sans équivoque, les enfants, tout

ON PART POUR L'ÉCOLE !... MAIS POURQUOI ? (2)

La façon dont les chrétiens envisagent la scolarisation dépend finalement du lien qu'ils font entre Dieu, l'être humain et la création. Leur point de départ est la compréhension biblique qu'ils ont du Dieu créateur et fidèle, ce Dieu qui appelle ses enfants à lui être obéissants et à l'aimer, ce qu'il a rendu possible par la grâce salvatrice de Jésus-Christ.

Les enfants peuvent être les partenaires de Dieu sur la terre et refléter sa gloire en incarnant sa parole dans leur vie et dans le monde. Comment ? En apprenant à lire avec discernement ; en approfondissant leur compréhension des relations humaines et des questions sociales ; en résolvant des problèmes mathématiques qu'ils n'ont jamais résolus auparavant ; en collaborant à la fabrication d'un livre ou d'une murale pour leur classe ; en utilisant les résultats d'une expérience scientifique de façon responsable ; en exprimant des émotions personnelles de façon créative par la poésie et la musique ; et en traitant leurs compagnons de classe avec respect.

Vous étiez très probablement d'accord avec plusieurs des réponses que les parents ont données au journaliste au sujet de la scolarisation. Vous voulez que vos enfants adoptent de bons principes de vie et qu'ils deviennent des citoyens bien informés. Vous voulez aussi qu'ils soient en mesure d'utiliser les nouvelles technologies. Vous voulez qu'ils puissent contribuer à l'humanisation de la société en plus de la débarrasser des préjugés.

Mais, en poussant plus loin la réflexion, vous vous rendrez compte que ces réponses sont incomplètes. Les parents chrétiens, après tout, inscrivent leurs enfants à l'école afin qu'ils puissent apprendre à discerner les œuvres merveilleuses de Dieu dans sa création et dans la vie humaine. Comme le sous-entend le Psaume 19, l'école doit donner aux enfants le goût pour les sciences et les mathématiques, puisque Dieu y est à l'œuvre. De leur côté, la littérature, les sciences sociales et les arts doivent servir à développer leur pensée, à influencer leurs paroles et leurs actions afin que ces jeunes soient agréables à Dieu. Dans leurs travaux scolaires quotidiens, ils doivent apprendre à faire confiance à Dieu et à suivre ses préceptes si riches pour leur vie (Ps 19 et 78.1-7). Ils doivent, par souci d'obéissance à Dieu, se servir de leurs dons de manière responsable, non dans un but intéressé, mais plutôt pour manifester de l'amour à Dieu et à leur entourage et pour aussi contribuer au mieux-être de leur communauté.

Les réponses des parents s'en tenaient à ce que l'on est en mesure de s'attendre de l'école. En périphérie, les réponses ne pénétraient pas le cœur de la question.

comme nous, ne sont pas parfaits. Dans notre monde, le péché désoriente et déforme nos vies. Les promesses rompues et les rébellions flagrantes encombrent le chemin de nos réponses à Dieu. La compassion se change en malice. La justice se désagrège et se revêt de préjugés. Les responsabilités se changent en insouciance.

Néanmoins, Dieu ne cesse de donner son amour et sa grâce, tant aux enfants qu'aux adultes. Dieu n'a-t-il pas donné son Fils unique pour cela ? Par sa mort, Jésus rend accessible la sainteté et la réconciliation aux enfants et la présence du Saint-Esprit dans leur cœur. Les enfants peuvent ainsi, une fois de plus, répondre, même imparfaitement, à cet appel de Dieu pour leur vie. La grâce de Dieu envers tous les êtres humains restreint le mal. C'est pourquoi nous pouvons utiliser l'éducation pour promouvoir la responsabilisation individuelle et collective, même chez les enfants qui ne connaissent pas Dieu.

Maintenant, on peut se pencher, une fois de plus, sur les responsabilités que Dieu nous a conférées au début des temps : porter du fruit, nous multiplier et prendre soin de tout ce que Dieu a créé (Gn 1.28). Dieu demande aux enfants et aux adultes d'être les intendants de sa création : des serviteurs, artisans de sociétés reflétant ses normes pour la vie. Dieu a donné la tâche à Adam de travailler dans le Jardin et d'en prendre soin. Au sens littéral, Dieu a dit à Adam qu'il devait « défendre la sainteté » de son environnement. En d'autres termes, Dieu a appelé Adam – et appelle nos enfants – à s'assurer que toutes les composantes de notre société remplissent le rôle pour lequel elles étaient destinées, à la gloire de Dieu. Dieu désire que les enfants l'aiment et le glorifient par leur service. Ce service consiste, entre autres, à être responsable de sa création et de ses commandements, porteur de vie.

Le péché a fait en sorte que les humains ont changé l'appel de Dieu. Au lieu de dominer sa création, ils ont exploité la terre ainsi que les êtres humains. Or, Jésus veut transformer les enfants de façon à ce qu'ils reprennent la tâche que Dieu avait assignée à l'humanité. Il veut refaçonner leur cœur et leurs pensées. Il veut que les enfants reflètent l'image de Dieu à nouveau dans toute sa plénitude. Grâce à l'action du Saint-Esprit, il leur permet d'entendre l'appel de Dieu pour leur vie.

Quand les élèves écoutent la parole de Dieu et s'y conforment, ils peuvent entreprendre de devenir ce que Dieu veut qu'ils deviennent. Ils s'efforceront d'être fidèles dans leurs relations avec Dieu, avec ceux qui les entourent et avec la création de Dieu. En accomplissant leurs tâches de représentants de Dieu dans un monde brisé par le péché, ils chercheront à utiliser leurs dons avec assiduité et efficacité. Bien que leurs actions ne se conformeront pas parfaitement au dessein de Dieu, ils commenceront à se faire une place dans ce monde en tant que fils et filles de Dieu.

Nous savons que Dieu nous appelle à être responsables de sa création, à y pratiquer la justice et à y encourager la miséricorde...

... mais nos écoles ne reflètent-elles pas à l'occasion une société qui défend des droits aux dépens des responsabilités, et qui favorise l'estime de soi aux dépens du sens de la mesure et de la compassion ?

Dans les Écritures, la connaissance représente plus que le savoir et le savoir-faire, elle comprend aussi la sagesse et l'engagement découlant de celle-ci...

... néanmoins, n'insistons-nous pas souvent pour que l'école ne se limite qu'à l'enseignement des matières de base et à l'apprentissage des dernières technologies ?

Quel rapport tout cela a-t-il avec l'éducation ? Dieu veut que nos enfants soient transformés par la grâce savaltrice de Jésus-Christ. Ils les appellent, en tant que créatures transformées, à être les responsables de ce monde et à promouvoir la justice et la miséricorde. Il veut qu'ils fassent des disciples de toutes les nations. L'éducation peut aider les enfants à comprendre et à expérimenter tout ce que Christ commande, de façon à ce que, à leur tour, ils puissent enseigner ces choses aux nations (Mt 28.20). L'éducation devrait leur permettre de rompre avec ces éléments qui sont égocentriques, matérialistes et hédonistes dans notre société et promouvoir plutôt la bonne gestion des ressources, l'intégrité, la justice, la droiture et la compassion dans tous les domaines de la vie. Par-dessus tout, l'éducation devrait permettre aux enfants de reconnaître Dieu dans leur vie et de se laisser transformer par sa puissance.

La sagesse biblique

Quand on parle d'éducation, on parle d'apprentissage. Apprendre à se servir d'un ordinateur. Apprendre à dribbler un ballon de basket-ball. Apprendre à faire des choix qui affectent l'avenir. Apprendre à résoudre des conflits. Apprendre pourquoi on semble incapable de s'entendre dans un même pays. Acquérir des habiletés ; acquérir des connaissances et des valeurs. L'éducation, c'est donc permettre aux enfants d'analyser, d'élargir, de s'approprier et de mettre en pratique de telles connaissances, habiletés et valeurs. Mais, plus encore, l'éducation consiste à rendre les personnes aptes à assumer leurs responsabilités.

La Bible enseigne que la sagesse est la dimension la plus importante de l'éducation. Cette sagesse est étroitement liée à la connaissance, à la compréhension et au discernement. *Pour acquérir la sagesse, efforce-toi d'apprendre ce qu'elle est ; sois prêt à donner tout ce que tu possèdes pour devenir intelligent* (Pr 4.7). *Un homme intelligent désire acquérir des connaissances* (Pr 18.15). *Un homme qui juge avec bon sens est intelligent* (Pr 16.21).

Une telle sagesse s'acquiert par la connaissance de Dieu et par la confiance que l'on met en lui. *C'est le Seigneur qui donne la sagesse, la science et la connaissance viennent de lui* (Pr 2.6). *Ne te fie pas à ta propre intelligence, mais place toute ta confiance dans le Seigneur* (Pr 3.5).

Être sage ne se limite pas qu'à être intelligent, perspicace ou de posséder beaucoup de connaissances. Être sage veut aussi dire pouvoir reconnaître ce qui mérite notre attention et avoir le discernement pour choisir et mettre en branle une action qui respecte les directives bibliques. En classe, cela signifie que les élèves abordent les problèmes de manière ouverte et créative, à partir d'opinions informées et documentées.

La formation contre l'endoctrinement (1)

L'éducation a des partis pris ; et elle ne doit pas endoctriner – ce qui empêcherait les élèves de développer leur pensée critique. Nous endoctrinons chaque fois que nous supprimons ou déformons délibérément certains faits ou arguments, de façon à ce que les élèves acceptent les croyances ou les attitudes qui sont prônées.

D'une part, l'endoctrinement peut se produire dans les écoles publiques et chrétiennes ou au foyer. Quand un manuel scolaire minimise délibérément le rôle de la religion dans l'histoire du Canada, elle endoctrine les enfants à croire que la religion n'est pas un sujet pertinent. L'enseignant qui enseigne la théorie de la macroévolution comme un fait indéniable, enseigne la fausse notion que les théories scientifiques sont vérités. D'autre part, quand une école chrétienne ne critique sévèrement que les politiques gauchistes ou les faiblesses de la théorie de l'évolution, elle endoctrine aussi.

Jésus a enseigné l'importance d'attribuer une grande valeur à l'intégrité, à la vérité et à la liberté. Les réponses toutes faites à l'avance sont incompatibles avec le respect de la foi chrétienne pour la vérité et, de ce même fait, pour les méthodes et les objectifs éducationnels de haut calibre.

Bien que l'éducation ait des partis pris, elle peut être quand même équitable et juste. Une approche chrétienne de l'éducation se doit de présenter les questions à débattre sans détour, de façon responsable et avec compassion. L'éducation devrait toujours permettre une recherche ainsi qu'une discussion objective des faits.

Le livre des Proverbes nous présente deux femmes : Sagesse et Folie. Sagesse nous montre les voies de Dieu. Elle fait appel à notre cœur et à nos pensées, à nos sens et à notre imagination. Sagesse, ancrée dans la connaissance et le discernement, rend notre oreille capable d'entendre la parole de Dieu et donne à nos yeux la capacité de voir Dieu. Elle nous conduit vers le *Shalom* – là où nous vivons en parfaite harmonie avec Dieu et son Esprit, là où nous connaissons des relations harmonieuses avec les autres et avec toute la création de Dieu. Folie, pour sa part, apporte le désespoir et la mort. Elle rejette la connaissance et la sagesse (Pr 9.13).

Les enfants acquièrent la sagesse au fur et à mesure qu'ils approfondissent leur compréhension de la parole de Dieu et apprennent à y répondre en s'y engageant. Une approche biblique de l'éducation consiste, entre autres, à orienter les réponses des enfants vers la connaissance et la compréhension. Au cours de discussions et de devoirs, les enseignants encouragent les élèves à aiguiser leur sens du discernement, leur permettant de choisir et de justifier leurs réactions personnelles ainsi que de réaliser leurs engagements, nouveaux ou déjà faits, avec sagesse.

Dans cette section du programme d'enseignement, les élèves acquièrent des connaissances sur qui est Dieu, à quoi ressemble sa création et qui ils sont en rapport avec Dieu et sa création. Ils acquièrent et élargissent leurs connaissances et compréhension théoriques. Ils développent un grand éventail d'habiletés, particulièrement sur le plan de la pensée critique et de la communication. Ils soulèvent et résolvent des problèmes. Ils reflètent le Dieu créateur en faisant usage, dans leurs travaux écrits et ceux liés à l'art, des talents que Dieu leur a donnés. Ils comprennent et mettent en pratique l'amour et le sens des responsabilités ainsi que la justice dans leurs travaux finals et leurs projets de service. Ainsi, ils vivent selon Dieu. Tous ces modes d'apprentissage ne tendent qu'à la seule fin d'amener l'élève à s'engager envers Dieu et à vivre selon sa sagesse.

La sagesse découle de la connaissance que l'on a de la parole de Dieu, et, par conséquent, ceux qui s'engagent, et qui cherchent à continuellement y répondre, ne cessent d'être transformés. Le rôle de l'éducation consiste à permettre aux élèves d'acquérir la sagesse et de la mettre en pratique. Mais, on ne pourra pas obliger les élèves à accepter la sagesse de Dieu, car seul le Saint-Esprit peut changer les cœurs et produire l'obéissance à Dieu. Néanmoins, une approche éducative chrétienne, avec ses multiples facettes, aura toujours présent à l'esprit son but de permettre à chaque enfant d'acquérir la sagesse et, par la suite, à laisser de plus en plus de place à cette sagesse de les conduire à Dieu.

La formation contre l'endoctrinement (2)

Que penser d'une question comme celle de l'évolution ? Les enseignants chrétiens, qu'ils enseignent à l'école publique ou chrétienne, devraient présenter à la fois les arguments pour et contre cette théorie. Pour y arriver, ils auront à faire une différence entre la micro et la macroévolution, c'est-à-dire, qu'ils auront à démontrer que la sélection naturelle de certains papillons de nuit est bien différente de l'évolution d'une espèce en une autre. Ils auront aussi à présenter le pour et le contre du processus de la création en six jours, en avouant que les chrétiens diffèrent sur l'interprétation de Genèse 1.

Les enseignants, de toute évidence, ne peuvent pas donner une raison détaillée pour tout ce qu'ils affirment, surtout pas aux tout-petits. Néanmoins, au fur et à mesure que les enfants grandissent, ils discuteront avec eux de la façon dont ils perçoivent le monde, ce qui rendra possible la discussion objective de tous les faits liés au sujet enseigné.

Une enseignante de première année, par exemple, enseigne sur la communauté et décide de ne pas explorer toutes les facettes de la pauvreté. Elle supprime certaines données parce qu'elle croit que les élèves ne sont pas encore prêts à aborder le sujet en profondeur. Tant et aussi longtemps qu'elle ne leur laisse pas l'impression que tout va bien dans la communauté, elle n'endoctrine pas, car elle ne tente pas délibérément de leur présenter un point de vue qui ne peut pas se vérifier par des faits. Or, une enseignante de secondaire III écarte la pauvreté en disant que les pauvres sont des paresseux ; elle endoctrine, car elle ne permet pas une discussion éclairée et la présentation de tous les faits.

Les bons enseignants chrétiens veulent promouvoir les valeurs bibliques, mais le font sans endoctriner leurs élèves. Pour ce faire, ils présentent les questions de façon équitable et permettent à tous d'exprimer leurs points de vue.

La connaissance au service de la transformation

Les enfants ne font pas qu'emmagasiner des connaissances ou ne se limitent pas non plus qu'à accumuler connaissance sur connaissance. L'éducation leur ouvre plutôt la porte au monde de Dieu de façon interactive. En apprenant, les enfants explorent la façon dont les humains ont vécu dans le monde et comment ils en sont venus à le connaître. De là, les enfants conceptualisent, interprètent, évaluent, justifient, élargissent et même, parfois, rejettent les connaissances – et les appliquent selon eux de façons créatives et nouvelles.

Bref, grâce à l'éducation, nous aidons les enfants à apprécier le monde dans lequel ils vivent. Nous inculquons chez eux un émerveillement face au monde naturel et la façon dont il fonctionne. Nous augmentons leur respect à l'égard des humains et de la manière dont ils ont façonné les cultures et les sociétés au cours des âges. Ils se rendent compte du trésor que les connaissances accumulées depuis le début des temps représentent et de la richesse de la tradition.

En leur enseignant de cette manière, les enfants apprennent à s'émerveiller devant la Parole, l'œuvre et le monde de Dieu, ainsi qu'à les estimer. Plus encore, ils acquièrent un esprit critique. Est-ce que l'environnement naturel qui les entoure reflète mieux-être ou désordre ? Est-ce que les traditions culturelles, dont ils prennent connaissance ou qu'ils observent dans leur communauté, prédisposent à des comportements conformes ou contraires à la parole de Dieu ? Et de quelles façons le font-elles ?

En enseignant la parole de Dieu à nos enfants, nous leur apprenons à discerner entre le mieux-être et le désordre, entre la présence de la paix intérieure ou de son absence. Au fur et à mesure qu'ils connaissent Dieu, ils se rendent compte que l'être humain est aussi pécheur. L'humanité dans sa relation avec la création de Dieu s'est montrée destructrice. Nous nous sommes fait du tort et nous avons endommagé la création, parfois de façon irréparable. Il n'est pas rare pour nos relations personnelles de subir le contrecoup de nos blessures émotionnelles. Nous regardons des émissions télévisées, des films ou des magazines dégradants et immoraux. Les gens, partout sur le globe, et dans nos voisinages, sont affectés par des structures économiques injustes et des politiques gouvernementales oppressives. Et les péchés individuels affectent chacun d'entre nous.

Néanmoins, par la grâce de Dieu, il y a une issue ! C'est pourquoi, en éducation, nous ne nous contentons pas seulement de savoir pourquoi le péché a déformé la création de Dieu. Nous demandons aussi aux élèves de découvrir comment Dieu veut que nous y réagissions. Comment nous pouvons rétablir, en partie tout au moins,

ENSEIGNER LES VALEURS CHRÉTIENNES DANS UNE ÉCOLE PUBLIQUE

En dépit des exigences officielles, il est impossible de livrer un enseignement dénué de partis pris. Cependant, il est possible aux enseignants dans les écoles publiques d'être équitables et justes lorsqu'ils enseignent la religion. Les enseignants chrétiens peuvent promouvoir les valeurs de base nécessaires à la survie d'une société saine dont le respect et la dignité humaine, le souci pour le mieux-être d'autrui, l'intégrité, la responsabilité, l'harmonie et la justice. Ces valeurs ne sont pas uniquement des valeurs chrétiennes, mais aussi des valeurs démocratiques essentielles.

Les enseignants chrétiens ont l'occasion d'informer les élèves de l'influence que le christianisme a eue sur les sociétés occidentales au cours de l'histoire. Ils peuvent les aider à juger de l'impact que la foi a eu sur la vie, autant dans le passé qu'aujourd'hui. Ils peuvent choisir des textes littéraires qui stimulent la discussion sur des valeurs importantes. Ils peuvent exprimer et défendre des opinions qu'ils valorisent – tant et aussi longtemps qu'ils présentent différentes perspectives avec équité et qu'ils permettent, en premier lieu, aux élèves d'exprimer et de défendre leurs propres points de vue. Les méthodes qu'utilisent les enseignants peuvent aussi refléter ce que les élèves créés à l'image de Dieu signifient. Elles peuvent les amener à des réflexions personnelles.

Les chrétiens ne peuvent pas faire du prosélytisme dans les écoles publiques, cependant, selon la *Charte canadienne des Droits et Libertés de la personne*, les enseignants chrétiens et les parents ont les mêmes droits religieux. Les enseignants peuvent parler d'approches chrétiennes et, ce faisant, ils ne prônent pas nécessairement le christianisme. Et les parents, eux, peuvent s'attendre à ce que les enseignants appuient des valeurs de base comme l'intégrité et la fidélité, qui sont reconnues dans la plupart des cultures, et qu'ils présentent leurs points de vue chrétiens de façon objective et juste pour tous.

l'amour, la droiture et la justice que Dieu avait prévus pour le monde ; comment l'enseignement et l'apprentissage peuvent mener à une meilleure compréhension et à un meilleur vécu de la vie chrétienne ainsi qu'à un engagement à celle-ci ; comment nous devons vivre les uns avec les autres ; comment nous devons vivre en plus grande harmonie avec la nature.

L'éducation oriente les élèves à emprunter certaines voies. La nature de cette éducation ne peut donc pas être dénuée de parti pris. Nous véhiculons toujours certaines valeurs dans l'enseignement. Nous faisons toujours valoir des idéaux ou des choix de vie qui nous semblent importants. Il s'agit de valeurs morales personnelles comme l'honnêteté, le pardon et la fidélité dans le mariage, mais cela ne se limite pas qu'à celles-ci. Le grand commandement d'aimer Dieu et son prochain nous enjoint de reconnaître qu'en étant, en partie, le reflet de l'image de Dieu, tous sont dignes d'être valorisés. L'école doit donc favoriser et enseigner la justice, le respect de l'autorité, la gestion responsable des ressources, l'altruisme dans les relations, la communication authentique, la maîtrise de soi et le respect de la vie et des biens matériels.

Amener les élèves à accepter de telles valeurs bibliques n'est pas chose facile. Les enfants vivent une accablante confusion sur le plan des valeurs. L'éducation doit, par conséquent, établir ses structures et ses programmes sur des valeurs bien définies. Pour ce faire, elle ne se limite pas seulement à enseigner ouvertement ces valeurs, mais aussi à favoriser à l'école un environnement qui se prête bien au traitement des pensées, des perceptions et des comportements qui sont basés sur des valeurs bibliques. Agir autrement mine la tâche des éducateurs qui consiste à former des enfants de sorte qu'ils deviennent des citoyens remplis d'amour, vivant selon de bons principes et contribuant de façon constructive à la société.

Quand Dieu dit que son peuple se détruit à cause de son manque de connaissance (Os 4.6), il veut dire le manque de fidélité et d'amour. Si nous manquons de connaissances, dit Dieu, nous *ne savons pas* comment nous comporter face au bien ou au mal. L'éducation, d'un point de vue biblique, oriente les élèves vers la nécessité d'une vie remplie, pleinement engagée selon un style de vie biblique. Il ne suffit pas aux enseignants de transmettre des connaissances. Ils doivent montrer aux élèves comment utiliser leurs acquis pour transformer la société.

Autres considérations

Nous venons de répondre à la question : « Pourquoi éduquer ? », question qui découle de la parole même de Dieu. La mise en application

Votre enfant fréquente l'école publique ?

À titre de parents chrétiens qui avez décidé d'inscrire votre enfant à l'école publique, vous vous engagez à participer au système d'éducation utilisé par la majorité des Canadiens. Vous désirez que votre enfant expérimente le pluralisme religieux et culturel de notre société. Vous cherchez à être une influence chrétienne bénéfique dans un système scolaire en grande partie sécularisé.

Mais orienter votre enfant à suivre Dieu n'est pas une tâche facile à réaliser dans un système scolaire public séculier qui, souvent, demande aux enseignants et aux élèves de laisser leur religion à la maison.

Être responsable de l'éducation de votre enfant signifie que vous aurez à découvrir si ce qui est enseigné en classe diffère de ce qui est enseigné à la maison. Même si l'enseignant partage vos convictions, vous devrez approfondir, une fois à la maison, ce que l'enseignant ne pouvait que présenter succinctement à l'école. Vous devrez créer à la maison un contexte propice à l'enseignement que votre enfant reçoit à l'école, afin qu'il puisse mettre cette connaissance en pratique. Ce contexte devrait lui permettre de mieux comprendre de ce que signifie être un enfant de Dieu.

Les parents dont les enfants fréquentent l'école publique peuvent s'attendre à ce que ceux-ci acquièrent du discernement et de la sagesse sur les problèmes complexes auxquels ils, et toute la société canadienne, doivent faire face. Grâce à de bons enseignants, ils apprendront que leurs acquis tout récents les appellent à participer à la transformation de la société actuelle, et ce, même si leurs enseignants ne leur fournissent pas tous les éléments à cette fin.

d'une telle approche dans nos foyers, nos Églises et nos écoles chrétiennes ne fera pas face à beaucoup d'opposition. Mais, comme les écoles publiques ont pour mission de répondre aux besoins de tous les élèves, ces citoyens d'une société pluraliste, on ne pourra pas, par conséquent, réaliser tout ce qui vient d'être décrit dans ce document. « Pourquoi éduquer ? », n'est donc pas la seule question que nous devrions nous poser au sujet de l'éducation au Canada. Une autre question importante à se poser est : « Qui éduquer ? » Vu le caractère pluriethnique de la société canadienne, nous devons aussi nous demander : « Comment établir des politiques en matière d'éducation qui seront équitables pour tous ? »

En voulant répondre à ces dernières questions, nous devons garder en tête la réponse que nous avons élaborée dans ce document. Nous voulons nous rappeler que nous éduquons nos enfants en réponse à l'engagement que nous avons fait au Dieu qui nous aime et nous appelle à le servir. Nous cherchons à leur révéler la parole et la création de Dieu tout en les orientant à vivre des vies de disciples engagés. Nous les orientons en particulier vers un apprentissage, l'acquisition d'un savoir-faire et de valeurs, dont ils auront besoin dans la pratique de la sagesse de Dieu, sagesse qui leur sera utile pour répondre à l'appel que Dieu leur fera.

Une telle sagesse les responsabilisera face à leur vie qu'ils voudront sans cesse transformer. De plus, elle les préparera à contribuer à la transformation du monde dans lequel ils vivront. De cette façon, l'éducation les forme pour le dessein d'obéir au plan de Dieu pour sa création.

VOTRE ENFANT FRÉQUENTE UNE ÉCOLE CHRÉTIENNE ?

Comme plusieurs parents chrétiens qui ont inscrit leurs enfants dans une école chrétienne, vous croyez que ces écoles peuvent éduquer votre enfant comme c'est impossible aux écoles du système scolaire public de le faire.

Les écoles chrétiennes initient ouvertement les enfants à l'héritage et à l'engagement chrétiens. En même temps, elles se doivent d'y présenter une diversité de points de vue sans aucun parti pris, et particulièrement quand les enfants grandissent. Elles doivent aussi permettre aux élèves d'acquérir une pensée critique et de ne pas se limiter à des réponses toutes faites à l'avance face aux questions complexes de la vie. Les enfants ont besoin d'être bien ancrés dans la vie, mais ils ont aussi besoin de prendre des décisions à l'égard de leur héritage chrétien. Il est nécessaire de leur donner l'occasion de remettre en question les bases mêmes sur lesquelles sont fondées les croyances et les approches chrétiennes. Il est important qu'ils se fassent une idée par eux-mêmes. Les bonnes écoles chrétiennes leur permettront de le faire.

Mais, les écoles chrétiennes n'isolent-elles pas les enfants du reste de la société ? Certes, elles le font, de la même façon que les joueurs de football se regroupent derrière la ligne de mêlée pendant un temps, de façon à se préparer pour le prochain jeu. Les parents qui inscrivent leurs enfants dans des écoles chrétiennes croient que leurs enfants seront mieux préparés pour faire face au monde une fois adultes, car ils auront eu la possibilité d'arriver à des points de vue fermes et de choisir des valeurs qui seront bien intégrées à leur vie.

Les écoles chrétiennes ne remplacent pas le rôle premier des parents, cependant, elles le complètent en réaffirmant l'éducation qui est donnée à la maison.

Vous enseignez à domicile ?

En tant que parent qui enseigne à domicile, vous prenez sérieusement la responsabilité que Dieu a donnée aux parents d'être les premiers éducateurs des enfants. Même si l'école à domicile n'est pas l'affaire de tous, on peut affirmer qu'un enseignement particulier s'y réalise quand les parents s'occupent de la dimension « scolaire » de l'éducation de leurs enfants.

Vous pouvez choisir le matériel et les méthodes qui répondent aux besoins de votre enfant, et qui correspondent à vos perspectives chrétiennes et philosophiques. Vous pouvez accorder beaucoup plus d'attention à votre enfant, attention qu'il ne lui serait pas possible de recevoir en classe, et discuter plus en profondeur avec lui des questions qu'il se pose. De plus, votre enfant n'est pas confronté aux influences néfastes que les autres élèves pourraient avoir à son égard.

Les recherches montrent que les enfants qui « fréquentent » l'école à domicile réussissent très bien sur le plan académique. Mais veillez, par contre, à ce que votre enfant bénéficie régulièrement d'interactions avec d'autres enfants. Les enfants doivent apprendre à coopérer avec les autres. Ils doivent savoir résoudre les conflits qui sont inévitables lorsqu'on vit en société. Le programme que vous planifierez pour votre enfant doit inclure plus que des connaissances de base et de l'information à mémoriser. Vous aurez à découvrir le style d'apprentissage de votre enfant et à ajuster votre enseignement en conséquence. Finalement, il vous faudra lui présenter différents points de vue afin qu'il puisse les analyser et les évaluer.

La scolarisation à domicile, réalisée de manière appropriée, peut fournir un environnement d'apprentissage riche pour tous les membres de la famille.

CHAPITRE 2

LES VALEURS ÉDUCATIVES PROTESTANTES[1]

Le préambule commun à la Loi sur le ministère de l'Éducation et à la Loi sur le Conseil supérieur de l'éducation, toutes deux en vigueur depuis 1964, se lit comme suit :

ATTENDU que tout enfant a le droit de bénéficier d'un système d'éducation qui favorise le plein épanouissement de sa personnalité ;

ATTENDU que les parents ont le droit de choisir les institutions qui, selon leur conviction, assurent le mieux le respect des droits de leurs enfants ;

ATTENDU que les personnes et les groupes ont le droit de créer des institutions d'enseignement autonomes et, les exigences du bien commun étant sauves, de bénéficier des moyens administratifs et financiers nécessaires à la poursuite de leurs fins ;

ATTENDU qu'il importe d'instituer, suivant ces principes, pour collaborer avec le ministre de l'Éducation et le ministre de l'Enseignement supérieur et de la Science, un Conseil supérieur de l'éducation, auquel seront adjoints un comité catholique, un comité protestant et des commissions chargées de faire à ce Conseil des suggestions relativement à divers secteurs de l'enseignement.

Aujourd'hui, la Loi sur l'instruction publique, telle que promulguée en 1988 (L.R.Q., c. 1-13.3), accorde à l'élève, ou aux parents de l'élève

1. Ce chapitre a été écrit par le Comité protestant du Conseil supérieur de l'éducation. Les membres du Comité protestant au moment de la rédaction étaient Glenn Smith (président), Euan A. Crabb, David J. Daniel, Ruth Eatock, Judy Fay, John Russell Fisher, Marthe Laurin, Margaret Mitchell, Charles F. Morris, G. Emmanuel Pierre, Jean Poirier, Judith Reynolds, Quentin Robinson, Shirley Coderre Smith. Membres adjoints d'office : Grant Hawley (sous-ministre associé pour la foi protestante) et Harry Kuntz (secrétaire du Comité protestant).

si ce dernier est à l'école primaire ou dans les deux premières années du secondaire, le droit de choisir entre l'enseignement moral et religieux, catholique ou protestant, et l'enseignement moral (article 5). Ce droit s'exerce chaque année au moment de l'inscription (article 241). Si l'élève refuse ou omet de faire ce choix, il se trouve dans l'option choisie l'année précédente ou, à défaut, en enseignement moral. La commission scolaire dispense l'enseignement moral et religieux catholique ou protestant selon le choix de l'élève (article 225). Actuellement, ce droit de choisir est exercé par les élèves s'inscrivant dans une commission scolaire autre qu'une commission scolaire confessionnelle ou dissidente.

Dans les pages qui vont suivre, le Comité protestant présente d'abord un certain nombre de citations qui mettent en évidence les valeurs du système d'enseignement qui se trouvent au cœur de l'éducation protestante en général. Les parents et les éducateurs auront ainsi la possibilité de mettre l'accent sur ce qu'ils estiment important, et pourront prendre les mesures qu'ils jugeront nécessaires à la promotion de ces valeurs. C'est à partir d'une bonne information que les parents pourront ensuite exercer leur liberté de choix – reconnue par la loi – relativement à ces trois modalités d'insertion des valeurs dans l'application de la Loi sur l'instruction publique :

1) le programme d'enseignement moral et religieux protestant ;
2) le projet éducatif de l'école ;
3) l'animation religieuse.

1. LA FAMILLE. Dans l'éducation protestante, la famille est considérée comme l'éducateur le plus important et comme le lieu où s'exerce la responsabilité de l'orientation religieuse de l'enfant.

> « L'éducation protestante reconnaît [...] le droit de l'enfant à son propre héritage sans désaffection du foyer et de la communauté. » (Comité protestant, *Préambule du règlement, 1988.*)

> Dans les années soixante-dix, « beaucoup de juifs et de protestants voyaient [...] comme l'affaire du foyer familial et de la communion religieuse le développement de l'identité religieuse de la personne en voie de croissance, et attribuaient à l'école publique un rôle pour ce qui est d'aider les élèves à s'ouvrir aux grandes questions morales et spirituelles et d'enseigner et faire régner les valeurs morales à caractère général qui sont nécessaires à la vie civique. »

(Nathan H. Mair, *Recherche de la qualité à l'école publique protestante du Québec*, p. 76 et s.)

« L'école est conçue pour répondre aux besoins de l'enfant et de la famille dont elle est un prolongement. Tout comme la famille, l'école est chargée de discipliner l'enfant, de lui inculquer un sentiment d'appartenance, ainsi qu'un sens des responsabilités et de la collectivité dont il fait partie. Outre la famille, c'est l'école qui veille aux besoins de l'enfant et qui décèle ses problèmes d'apprentissage. » (C. Middleton-Hope, *The Social Role of the School*, p. 1.)

« L'éducation protestante au Québec a toujours été caractérisée par des rapports étroits de l'école avec les parents et avec la collectivité locale, que favorisaient les commissions scolaires et qui prenaient diverses formes : Associations de parents et maîtres, jours de visite de l'école, contacts entre maîtres et parents par l'intermédiaire des enfants. » (N. Mair, *op. cit.*, p. 107.)

En résumé :

L'éducation protestante vise essentiellement à engager les parents et la famille à jouer un rôle actif en éducation. Elle favorise le respect des droits parentaux et de solides liens entre les parents, l'école et le milieu. Elle encourage la participation.

La relation entre l'école, les parents et le milieu, observée par l'historien Nathan Mair existe toujours, mais elle se prolonge dans des instances qui ont été créées depuis lors ; telles les conseils d'orientation, les comités de parents, les comités d'école et la présence de parents au sein de la commission scolaire.

2. LA DIMENSION SPIRITUELLE. L'éducation protestante favorise une approche holistique de l'éducation qui intègre totalement cette dimension.

« [L'école protestante trouvera] l'essentiel de son dynamisme pédagogique [...] dans la recherche personnelle du sens. Idéalement, toute activité d'apprentissage s'inscrit dans ce contexte général de recherche, et ceci devrait être plus clair que partout ailleurs dans la dimension morale et religieuse, car c'est là que l'on aborde les véritables questions d'identité [...]. Tout enseignement peut être considéré comme participant à cette recherche d'identité sur les plans personnel, social et cosmique.

Il s'agit d'une entreprise personnelle doublée d'une fin fondamentalement religieuse [...]. L'importance de l'enseignement pour l'engagement est évidente, et l'importance de la liberté individuelle quant à la nature et à l'orientation de cet engagement l'est tout autant. » (R. Jensen, *Some Pedagogical Implications of the Confessionnal Dimension of the Protestant School*, p. 2.)

« La manière dont on mène sa vie ne peut être séparée du sens profond que l'on donne à la vie. » (R. Jensen, *ibid.*, p. 4.)

« Mais une façon de définir la religion consiste à dire qu'elle fait partie d'une histoire que l'homme raconte sur lui-même. Si cette définition est acceptable, le rapport entre la religion et l'éducation n'est ni extérieur, ni secondaire. » (M. Buch, *An Attempt to Define a Protestant School*, p. 2.)

« [...] l'éducation en tant qu'apprentissage conscient de la prise de décisions[...]. L'éducation consiste dans l'apprentissage de la façon de réfléchir plutôt que du choix de la matière de la réflexion ; c'est une confrontation, un dialogue entre les façons d'évaluer la preuve et de soutenir les conclusions. » (Position de E. W. Shideler telle qu'expliquée dans S. B. Frost, *Memorandum on the Protestant View of Education*, p. 14.)

« Les protestants ne croient pas que l'école publique soit le lieu de prédilection pour enseigner la religion. Le contexte idéal pour l'enseignement religieux est l'Église et la maison. Mais on peut inculquer et l'on inculque en fait des connaissances sur la religion – dont la plus grande partie se trouve déjà dans les Écritures – de façon très satisfaisante dans les écoles protestantes. » (S. B. Frost, *op. cit.*, p. 13.)

« Toute éducation doit être empreinte d'un profond respect de la personnalité de l'enfant et l'enseignement religieux ne fait pas exception à cette règle. » (S. B. Frost, *op. cit.*, p. 16.)

« L'éducation protestante reconnaît la liberté de l'individu d'interpréter selon sa conscience les questions d'ordre spirituel et moral. » (Comité protestant, *Préambule du règlement,* 1988.)

En résumé :

Dans l'enseignement protestant, les éléments religieux peuvent être considérés comme des facteurs d'intégration. La position centrale de la connaissance de la Bible et l'étude de la quête de l'être jouent un rôle important quand il s'agit d'aider chaque personne à parvenir à la maturité et à accepter la responsabilité de ses gestes. De la sorte, l'élève acquiert les aptitudes de base nécessaires à la recherche et au dialogue, à l'esprit critique et à la créativité, à l'autonomie et à l'engagement, aptitudes qui lui permettront de trouver sa place dans la société et d'être partie prenante dans le changement social. L'approche non confessionnelle de l'éducation sous-entend que l'éducation protestante n'aura aucune visée de prosélytisme ni d'endoctrinement. Elle apprendra à l'enfant à devenir indépendant, en intégrant pleinement la dimension spirituelle à sa vie.

3. LA VÉRITÉ. L'éducation protestante favorise la passion de la vérité et de l'unité de la vérité.

Cette passion de la vérité et de son unité découle de l'importance que tout protestant accorde à la dimension religieuse dans la vie. L'éducation consiste dans l'intégration de la religion à l'ensemble de l'éducation et dans l'insistance sur la pertinence de cette dimension. Elle incite les gens à poser des questions fondamentales sans chercher des réponses toutes faites.

> « [...] Le protestant a la passion de la vérité. Il y croit et *il met en elle sa confiance*. [...] C'est cette croyance profonde dans l'unité de la vérité qui permet au protestant, même s'il estime l'éducation chrétienne, d'accepter voire de favoriser l'émergence de systèmes qui échappent à la mainmise directe des autorités ecclésiastiques. » (S. B. Frost, *op. cit.*, p. 10.)

> « Shideler écarte la possibilité que l'enseignant puisse simplement enseigner en n'exposant que les faits sans laisser paraître la moindre tendance personnelle ; d'abord, parce que la sélection et la présentation de tout ensemble de données ayant trait à des questions fondamentales sont toujours soumises à des préférences personnelles et, ensuite, parce que, en enseignant, on transmet forcément sa personnalité en même temps que les faits. » (S. B. Frost, *op. cit.*, p. 14.)

> « Le refus de compter pour définitive toute expression particulière de la vérité ou de la vie, et les compléments de ce

refus, qui sont un sentiment d'émerveillement et une délectation dans l'exploration de ce qui est nouveau, ont nourri dans les écoles protestantes une disposition constante à tenter des expériences et une attente de nouvelles découvertes. » (N. Mair, *op. cit.*, p. 101.)

« [L'éducation protestante a pour but d'] encourager la recherche de la vérité dans tous les champs de l'expérience humaine, y compris les dimensions morale et religieuse, tout en reconnaissant à chaque individu la liberté de juger de ses propres choix. » (Comité protestant, *Préambule du règlement*, 1988.)

« Seul un dogmatisme aveugle pourrait exclure l'étude des croyances humaines du programme d'études scolaires. Elle est indispensable à l'étude de la littérature anglaise et française, à l'histoire et même aux sciences. » (G. Johnston, *The Future of Protestant Education in Quebec*, p. 7.)

« On étudiait la Bible à l'école protestante en tant que source même des idées et idéaux moraux et spirituels des traditions juive et protestante et d'une grande partie de la culture occidentale. Cependant, sa présence en tant que symbole jouait peut-être un rôle encore plus important. Cela impliquait que son enseignement ainsi que le génie protestant fussent obligatoires à l'école. Même quand on ne l'ouvrait pas, la Bible témoignait de la croyance protestante en ce que la vérité ultime est plus grande que tout ce qui peut être exprimé ou connu. » (N. Mair, *o.p. cit.*, p. 112.)

En résumé :

L'éducation protestante engendre un esprit de recherche critique et le droit à la contestation et à la franchise. Par exemple, à la lumière de cette valeur, le programme d'enseignement moral et religieux protestant comprend trois modules ; l'un est consacré à la connaissance de la Bible, le second a trait à l'apprentissage du respect des autres traditions religieuses, et le troisième aide l'élève à comprendre les principes moraux qui sous-tendent ses gestes. Ce programme vise à développer le raisonnement nécessaire pour que soient portés des jugements d'ordre moral. Cette quête de vérité se poursuit tout au long du programme d'études.

4. ASPECT PRATIQUE. L'enseignement protestant favorise un intérêt positif face à la vie et au monde du travail.

> « Dans les écoles protestantes, ces mêmes sentiments se transmuaient en des valeurs inséparables de l'éducation protestante : poursuite de l'excellence, dignité et nécessité du travail, impatience devant la religion pour la religion, et exaltation de la vie et du travail terre à terre. » (N. Mair, *o.p. cit.*, p. 111.)

> « Les deux aspects critiques du Principe protestant (tel qu'énoncés par Paul Tillich) sont la *contestation* et l'*ouverture*. La contestation s'oppose à toute forme d'absolutisme, où l'on refuse la fin ultime de l'être et où le fini est considéré comme autosuffisant. [...] L'ouverture atteint un degré absolu dans la culture, telle que l'exigence d'honnêteté dans la recherche scientifique, ou la valeur unique que l'on accorde à la vie humaine. » (M. Buch, *o.p. cit.*, p. 3.)

> « L'éducation protestante chérissait la liberté de conscience et voyait l'enseignement comme orienté vers la libération tant de la personne que de la société. L'élément proprement protestant de cette éducation, toutefois, avait toujours quelque chose de réaliste. Il faisait contrepoids aux idées humanistes et rationalistes qui parfois conduisaient à l'instruction pour l'instruction, capable à elle seule d'accomplir la libération de l'homme. Les protestants ont toujours soutenu que, même si l'instruction a son importance, le succès de la vie ne peut tenir, ultimement, à l'effort de l'homme, mais seulement à la grâce de Dieu. » (N. Mair, *o.p. cit.*, p. 103 et s.)

> « L'esprit critique, né du refus protestant de ne compter en rien comme divin ce qui n'est qu'humain, faisait obstacle au dogmatisme. Et la disposition à tenter des expériences, corollaire de la conviction protestante qu'aucun esprit humain ne peut posséder l'intégralité de la vérité mais doit au contraire la poursuivre toujours plus avant, tenait ouverte pour l'éducation protestante une porte sur l'avenir. » (N. Mair, *o.p. cit.*, p. 47.)

En résumé :

Le travail a été considéré comme une vocation dans laquelle on est appelé à servir son prochain et son Dieu. La dignité du travail exige que chacun fasse de son mieux dans le domaine où il se trouve. Le protestant fait preuve de souplesse et de pragmatisme envers les systèmes et structures qui le gouvernent. Ceci se manifeste par un sens du compromis et de l'adaptation.

5. RESPONSABILITÉ ET RESPECT. L'éducation protestante favorise les attitudes de responsabilité et de respect envers les personnes et forme des citoyens indépendants mais ayant le sens des responsabilités.

> « Toute personne a de fait certains droits inaliénables, dont celui d'être toujours traitée comme une personne et jamais comme une chose. [...] Pour inspirer ou inculquer des idées dans l'esprit d'une personne, nous devons le faire avec la perception nette de ce qu'est une personne ; cela signifie que nous devons présenter ces idées à sa raison consciente et lui fournir l'occasion de mettre ces idées à l'épreuve, les mettre en question, les juger et, enfin, les approuver ou les désapprouver. » (S. B. Frost, *o.p. cit.*, p. 11.)

> « L'éducation protestante reconnaît [...] le droit de l'enfant à une éducation qui offre diverses opinions à propos de la vérité sans que ne lui soit imposée une option religieuse ou idéologique particulière. » (Comité protestant, *Préambule du règlement*, 1988.)

> « La haute valeur que l'école protestante attribuait à la liberté et au respect des personnes trouvait sa confirmation dans la manière dont elle condamnait toute tentative pour imposer de force des croyances religieuses à l'élève. L'enseignement des idées religieuses devait toujours laisser à l'élève la permission de ne pas être d'accord avec ce qui lui était enseigné, et même de le rejeter. » (N. Mair, *o.p. cit.*, p. 97.)

> « L'idée de responsabilité s'étendit jusqu'aux rapports de l'élève avec ses camarades, avec l'école dans son ensemble et avec toute la société démocratique. » (N. Mair, *o.p. cit.*, p. 96.)

> « L'éducation protestante reconnaît le besoin qu'a chaque enfant de développer son sens des responsabilités envers la société. » (Comité protestant, *Préambule du règlement*, 1988.)

« L'éducation [est] le processus [...] selon lequel une collectivité donnée transmet une culture et prépare ses sujets (plus jeunes et plus âgés) à l'exercice du civisme dans le monde contemporain de toute l'humanité. » (G. Johnston, *op. cit.*, p. 1.)

« L'éducation protestante chérissait la liberté de conscience et voyait l'enseignement comme orienté vers la libération tant de la personne que de la société. » (N. Mair, *op. cit.*, p. 103.)

En résumé :

L'éducation protestante favorise le respect de l'individu et de ses droits, ainsi que le respect de la pluralité dans la croyance, la vision du monde et la conception de la vie. Dans la diversité ethnique croissante de l'école d'aujourd'hui, cette valeur se place au premier plan dans l'effort que font les éducateurs de favoriser des attitudes de responsabilité personnelle.

6. CONNAISSANCE DE LA LECTURE ET DE L'ÉCRITURE. L'éducation protestante insiste sur la valeur de l'alphabétisation comme base de l'acquisition de connaissances et du développement de la personnalité.

L'instruction

« La connaissance de l'écrit peut se définir comme l'"aptitude à exercer des fonctions de façon efficace dans son milieu". Toutefois, dans un environnement technologique, ce qu'on appelle alphabétisation est beaucoup plus complexe et vaste que simplement savoir lire et écrire.

« Une personne alphabétisée, en effet, sait lire, comprendre et évaluer l'information imprimée, à l'écran, à l'ordinateur ou sous une forme artistique. Une personne alphabétisée sait aussi exprimer l'information, les idées et les émotions sous l'une ou l'autre de ces formes.

« Une personne alphabétisée n'ignore pas les processus de réflexion et d'apprentissage, les siens et ceux d'autrui.

« Une personne alphabétisée est capable de réflexion critique et de communication efficace, et elle sait faire appel à sa compréhension élargie du monde pour améliorer la qualité de ses relations. » (Fédération canadienne des associations de foyer-école et parents-maîtres, *What is literacy ?*)

En conclusion :

Les valeurs peuvent s'exprimer dans un système d'éducation de bien des façons. Le Comité protestant n'en favorise aucune en particulier. Cependant, il considère comme important – c'est l'objectif auquel il tient – que soit assurée l'intégration des valeurs sous quelque forme que ce soit. Idéalement, il appartiendra à chaque milieu scolaire de choisir finalement l'agencement des valeurs qui conviendra le mieux aux besoins des élèves qui sont au cœur de ses occupations et de ses activités. Dans les pages qui suivent, nous verrons comment cette intégration est possible dans le contexte éducatif québécois.

CHAPITRE 3

LES ARTISANS DE L'ENSEIGNEMENT PROTESTANT AU QUÉBEC

Nathan H. Mair

La loi fondamentale de la Confédération canadienne, le *British North America Act* (Acte de l'Amérique du Nord britannique) fut promulguée le 1er juillet 1867. Les dispositions en avaient été longuement débattues au cours des années précédentes. Celles relatives à l'éducation étaient d'une importance particulière, compte tenu de la diversité des intérêts en présence. L'article 93 de l'Acte stipule que les provinces ont pleine compétence législative en ce qui concerne l'éducation ; la minorité religieuse de chacune des provinces est cependant protégée par ce qui suit :

93 : Dans chaque province et pour chaque province, la législature peut exclusivement édicter des lois sur l'enseignement, sous réserve et en conformité des dispositions suivantes :

> 1. Rien dans une telle législation ne doit porter préjudice à un droit ou privilège que la loi, lors de l'Union, attribue dans la province à une classe particulière de personnes quant aux écoles confessionnelles ;
>
> 2. Tous les pouvoirs, privilèges et devoirs conférés ou imposés par la loi aux écoles séparées et aux commissaires d'écoles des sujets catholiques romains de la Reine dans le Haut-Canada, lors de l'Union, doivent être et sont par les présentes étendus aux écoles dissidentes des sujets protestants et catholiques romains de la Reine dans la province de Québec ;
>
> 3. Si, dans quelque province, un système d'écoles séparées ou dissidentes existe, en vertu de la loi, lors de l'Union, ou est dans

la suite établi par la législature de la province, un appel au Gouverneur général en conseil est recevable contre tout acte ou toute décision d'une autorité provinciale influant sur un droit ou privilège de la minorité protestante ou catholique romaine des sujets de la Reine en matière d'enseignement ;

4. Si telle loi provinciale que le Gouverneur général en conseil estime requise, à l'occasion, pour l'exécution voulue des dispositions du présent article, n'est pas édictée, ou si une décision rendue par le Gouverneur général en conseil sur un appel prévu par le présent article n'est pas dûment exécutée par l'autorité provinciale compétente à cet égard, alors, dans chaque cas de cette nature et dans la seule mesure exigée par les circonstances de l'espèce, le Parlement du Canada peut édicter des lois réparatrices pour l'exécution voulue des dispositions du présent article et de toute décision du Gouverneur général en conseil aux termes de cet article[1].

Les dispositions si souvent citées de l'article 93 de l'Acte de l'Amérique du Nord britannique continuent de fixer certains paramètres en ce qui concerne l'éducation au Canada. Elles suscitent encore aujourd'hui un vif intérêt chez les protestants du Québec. Mais qu'entendait-on au juste, dans l'Acte, par « écoles confessionnelles » et par « écoles dissidentes » ? Qu'elle était la « classe particulière de personnes » qu'on appelait « protestante » et qui donc en faisait partie ? Quels étaient ces « droits » ou « privilèges » que l'Acte dit « conférés par la loi » ? Qu'est-ce que ces personnes voulaient donc préserver dans leurs écoles ? À quelles valeurs adhéraient ces personnes ? Autant de questions auxquelles on ne peut répondre sans connaître l'histoire de l'éducation protestante au Québec.

A. ORIGINES DIVERSES DES PROTESTANTS DU QUÉBEC

L'une des caractéristiques notable de la « classe de personnes » que l'Acte appelle « protestantes » était leur diversité. C'étaient des Anglais, des Français, des Écossais, des Irlandais, des Américains, des Suisses, des Amérindiens, des Inuit peut-être, et sans doute des gens d'autres origines nationales encore. Sur le plan religieux, ils étaient anglicans, de l'Église réformée, presbytériens de diverses allégeances, méthodistes wesleyens ou américains, congrégationalistes, baptistes et universalistes. Entre certains de ces groupes, des conflits encore récents n'étaient pas oubliés. Tous ces protestants se considéraient comme les représentants d'opinions différentes par rapport à ce qu'il fallait juger important dans la vie, et en matière de religion et d'éducation. C'est pourquoi il y a lieu, historiquement, de noter certaines différences dans les valeurs partagées par les protestants du Québec d'origine française, britannique et américaine en particulier.

1. Les protestants français

Il n'y avait pas un bien grand nombre de protestants français à l'époque de la Confédération, mais leur tradition, au Québec, remontait jusqu'à la fondation de Tadoussac, vers la fin du XVIe siècle. Des protestants, soit négociants, soit colons, comptèrent parmi les fondateurs principaux de la Nouvelle-France. Même après l'exclusion des huguenots (1627) de la colonie, la cause protestante ne disparut pas complètement[2]. On signala la présence de marchands français de foi protestante au premier office religieux protestant qu'il y eut à Québec après la Conquête[3]. Parmi les « observations » des autorités militaires de Québec, dans les règlements de novembre 1759, il y en avait une qui engageait les militaires à respecter la conscience religieuse des Canadiens, et une autre qui souhaitait que des pasteurs de langue française viennent au Canada et que le Québec serve de lieu d'accueil à des Français de foi protestante[4]. Dès 1766, il y eut trois pasteurs protestants francophones au Québec. L. J. B. N. Veyssière à Trois-Rivières, D. F. de Montmollin à Québec et David Chabrand Delisle à Montréal.

En 1835, deux missionnaires protestants, Mme Feller et Louis Roussy, vinrent de Suisse au Canada et s'installèrent à Grande-Ligne. Au fil des ans, ils furent suivis des Amaron, Duclos, Tanner, Coussirat et autres, dont les protestants francophones n'ont pas oublié les noms. Il s'organisa des assemblées de fidèles dans diverses régions. En 1839, des protestants de Montréal créèrent la Société missionnaire canadienne-française, organisme non lié à une communion en particulier et à direction principalement laïque, et qui s'effaça devant les Églises peu après la Confédération. Il y eut dès cette époque des pensionnats pour enfants protestants de langue française : l'Institut Feller, à Grande-Ligne (baptiste), le Collège de Sabrevois (anglican), l'Institut évangélique à Pointe-aux-Trembles (presbytérien) et l'Institut méthodiste à Westmount. Il y avait aussi des écoles publiques, comme à Roxton Pond (Sainte-Prudentienne), où une poignée d'élèves protestants de langue française côtoyaient des élèves catholiques francophones ou des élèves protestants de langue anglaise.

Formés qu'ils étaient par les dirigeants de leurs assemblées, imprégnés de la tradition protestante de l'Église réformée, il est probable que les protestants francophones du Québec aient eu en commun, dans une plus ou moins grande mesure, des valeurs issues de la foi dans la Bible en tant que parole de Dieu et de la foi dans le témoignage intérieur de l'Esprit, qui constituaient ensemble l'autorité religieuse suprême. La souveraineté de Dieu, la responsabilité de l'homme devant son Créateur, le salut par la grâce au moyen de la foi personnelle en Jésus-Christ, et l'obéissance aux lois et à la volonté de Dieu comme réponse voulue à la foi, étaient là autant de doctrines qui nourrissaient l'indépendance de l'esprit, un sentiment élevé de responsabilité et un grand attachement aux libertés personnelles et politiques.

2. Les protestants britanniques

Les protestants britanniques de 1867 qui faisaient partie de la « classe particulière de personnes », visée par l'Acte de l'Amérique du Nord britannique, se subdivisaient en ceux qui étaient nés dans la province même ou dans une autre colonie britannique du Nouveau Monde, et en un grand nombre d'immigrés récents d'origine anglaise, écossaise ou irlandaise encore pleins du souvenir du « vieux pays ». Chacune de ces catégories était hétérogène quant à son fonds culturel, à son niveau économique et à ses convictions religieuses.

Les Britanniques de naissance avaient eu des ancêtres très nettement divisés socialement et sur le plan de leurs valeurs. Il y avait la classe dirigeante, officielle et celle des marchands. Les dirigeants, au XVIIIe siècle et au début XIXe, avaient tendance à souhaiter la reproduction au Canada des structures sociales de Grande-Bretagne : Église officielle, gouvernement confié aux propriétaires de biens importants issus de bonnes familles et, au-dessous d'eux, les marchands, les artisans, la classe ouvrière, tous bien à leur place. Ils considéraient avec une profonde méfiance et avec dédain les marchands de Montréal et de Québec, que motivaient les soucis du commerce. Le gouverneur James Murray appelait les négociants des « fanatiques licencieux » et Guy Carleton n'était guère plus aimable à leur endroit, même si l'on dit qu'il le devint avec le temps, lorsqu'il les connut mieux[5]. Les marchands, qui mêlaient tout ensemble des considérations religieuses, politiques et commerciales, d'une façon bien typique de leur époque, ne pardonnaient pas aux gouvernants le délai à instituer le droit commercial anglais au Bas-Canada. Afin de pouvoir participer aux décisions qui leur paraissaient nécessaires dans ce nouveau pays, ils faisaient campagne pour que soit élue une assemblée populaire, composée surtout, naturellement, des protestants qu'ils étaient. Déçus à cet égard par un gouverneur qui tenait compte avec prudence des sentiments des Canadiens, les marchands élevaient de bruyantes protestations contre diverses pratiques peu britanniques, comme la désignation de catholiques romains au sein des jurys. D'autre part, les Canadiens avaient tendance, disaient les marchands, à violer le dimanche. Et le gouverneur n'était pas tellement assidu à l'Église. Les critiques des marchands visaient peut-être plus la religion que les caractères ethniques des Canadiens. Lorsque l'Assemblée législative, dans les années 1820 et 1830, fut longuement aux prises avec le Conseil législatif, ses membres, qui étaient principalement de langue française et nationalistes, trouvèrent parfois des alliés parmi les marchands britanniques qui avaient fini par accepter l'idée d'une assemblée où les religions se côtoyaient.

Il y eut aussi, associés à la classe officielle après la Révolution américaine, tout en représentant un ensemble de valeurs quelque peu différent (et qu'il convient de distinguer des « Américains » des Cantons de l'Est), des loyalistes comme William Smith et son gendre Jonathan Sewell, qui furent l'un et l'autre juge en chef de la province. Smith apporta au Bas-Canada une instruction et une expérience pertinentes, acquises à New York, d'où il était natif. Sewell, malheureusement, est resté aux yeux de l'histoire du Québec le juge en chef contre lequel fut instituée une procédure de révocation. Les partisans de l'Assemblée l'accusèrent en effet d'avoir usurpé des pouvoirs du Parlement, ce dont il fut cependant disculpé. Il est resté célèbre aussi par le zèle avec lequel il répandit la Bible anglophone.

L'influence de la classe officielle diminua au fur et à mesure que grandit celle des marchands. Au milieu du XIXe siècle, les biens du clergé, notamment anglican, furent dévolus au pouvoir séculier. Les points de vue de l'Église anglicane sur les rapports entre le pouvoir religieux et l'éducation n'en continuèrent pas moins d'exercer une grande influence et contribuèrent pour beaucoup à donner sa physionomie à l'éducation protestante au Québec. Les traditions anglaises en ce qui concerne les buts et l'organisation des écoles continuèrent aussi à jouer un rôle important.

Des protestants britanniques immigrés de plus fraîche date au Québec, si l'on se place en 1867, étaient venus d'Angleterre, d'Écosse et d'Irlande dans les Cantons de l'Est, dans la vallée de la Châteauguay, en Gaspésie, dans le comté d'Argenteuil, dans la vallée de l'Outaouais et dans le comté de Mégantic. Dans plusieurs cas, ils formèrent des noyaux de population de même caractère ethnique au sein desquels se maintinrent pendant plusieurs générations les valeurs de leurs ancêtres. Du côté des marchands et des diverses autres professions, à Montréal et dans les autres centres, les rangs se grossissaient constamment de nouveaux arrivés britanniques. Les Écossais, en particulier, y avaient de l'influence. Ils étaient attachés, en matière d'éducation, à cet idéal que leur inspira le premier *Book on Discipline* de Inox : le droit de tous, sans distinction de classe sociale, à l'égalité des chances à l'école. En Écosse, depuis 1695, l'éducation était gratuite, la loi obligeant les propriétaires fonciers des districts ruraux à construire et à maintenir des écoles paroissiales, dont le plan d'études et les normes étaient fixés sous l'autorité de l'Église. Dans les *burghs* aussi, l'école était depuis longtemps ouverte à tous. Un élève pouvait, en Écosse mieux que dans tout autre pays peut-être au XIXe siècle, apprendre à lire à l'école de son village et poursuivre ses études, éventuellement, jusqu'à l'université.

L'influence des Écossais fut très forte au milieu du XIXe siècle dans les milieux des affaires de Montréal, où se mêlaient souvent les initiatives commerciales, politiques et religieuses. James Ferrier, marchand, banquier, maire, député, sénateur, membre du Conseil de l'instruction publique et des conseils d'administration de l'université McGill et du *Wesleyan Theological College*, assista aux cours d'Écriture sainte de la *Great Saint James Methodist Church* pendant 45 ans et fut longtemps aussi directeur administratif de la *Sunday School* (école du dimanche, « catéchisme »). Peter McGill, qui fut le premier maire de Montréal, occupa à diverses époques de hautes fonctions dans une foule d'institutions financières, pédagogiques, culturelles et religieuses : chemin de fer Grand-Tronc, *Board of Trade of Montreal*, *Colonial Life Assurance Association*, Hôpital général de Montréal, universités McGill et Queen's, *British and Canadian School Society of Montreal*, section de Montréal de la *British and Foreign Bible Society*, *Saint Andrew's Society*, loge maçonnique Royal Arch, et Association séculière de Montréal reliée à l'Église d'Écosse. Avant l'époque de Ferrier et de Peter McGill, il y avait eu celle de John Richardson, marchand d'origine écossaise et laïque important de la *Christ Church* qui fit des dons en argent à l'Hôpital général, et celle de James McGill, qui avait son banc à la fois à la *Christ Church* et à la « *Scotch* » *Church* et qui fut le fondateur de l'université McGill. Et combien d'autres noms sont restés célèbres[6].

Pour ces hommes-là, les affaires de la boutique et celles du conseil d'administration, au long de la semaine, restaient éclairées par les valeurs que l'on prêchait le dimanche à l'église et qu'ils avaient apprises sur les bancs de l'école, autrefois en Écosse. Tous les marchands n'étaient pas écossais. Il y avait entre autres les Molson, qui étaient anglophones. Mais l'influence écossaise dans les programmes d'études de l'université McGill et de la *High School of Montreal*[7], dont on a beaucoup parlé, nous révèle l'origine de bien des valeurs qui ont inspiré l'éducation à Montréal.

3. Les Américains

Pendant la guerre de l'indépendance des États-Unis et après, il y eut un afflux de réfugiés « loyalistes » dans diverses régions du Québec. Ils n'y furent cependant jamais véritablement nombreux. Dans les Cantons de l'Est, il vint aussi de nombreux immigrants américains du Vermont et des autres États septentrionaux, assez différents des loyalistes, et cela pendant une bonne partie du XIXe siècle. Ceux-là ne venaient pas tant pour des raisons d'ordre politique que pour avoir aperçu « un bout de rivière aux riches alluvions et une belle forêt de bois durs sur le coteau faisant face au soleil[8] ». Ils apportèrent dans les Cantons de l'Est leur tradition puritaine, qui était encore à la base de toute la culture de la Nouvelle-Angleterre. C'était pour eux une règle acceptée que d'aimer étudier pendant toute sa vie et, pour cela, d'ouvrir l'école à tous. Harvard, première université fondée en Amérique britannique (1636), montrait que pour les puritains, bonne instruction et piété étaient complémentaires. L'école commune existait en Nouvelle-Angleterre depuis l'arrivée des premiers colons ou presque. Les collectivités locales voyaient dans leurs écoles l'expression d'un devoir aussi bien religieux que civique, deux aspects de la vie qui à leurs yeux étaient indissolublement liés. Leur attitude d'esprit qui reconnaissait la dignité du travail temporel et qui, devant les mystères de la religion, les portait à bien garder les pieds dans les étriers, était tout ce qu'il fallait pour que se développe une conception de l'éducation non liée à une communion religieuse, mais séculière. « Séculière », cependant, voulait dire indépendante de toute Église et non pas vide de toute religion. Il n'était pas question d'exclure de l'éducation les dimensions morale et religieuse de la vie. Horace Mann dont on vénère le souvenir en Amérique comme celui du fondateur de l'école publique, insistait sur deux principes : aucune croyance ne devait exercer son influence sur l'école publique, et cette école devait inculquer les valeurs chrétiennes (entendez protestantes).

Les pionniers des Cantons de l'Est, fidèles à leurs origines, n'eurent pas plus tôt construit leurs cabanes qu'ils entreprirent de construire aussi des écoles élémentaires et des académies pour leurs enfants, avec pour livre de lecture, la Bible. Lorsque l'institution royale, qui leur versait des subventions et leur envoyait quelques instituteurs, voulut exercer son autorité sur ces écoles, il y eut une vive réaction. Les pionniers ne voulaient pas de maîtres venus d'Angleterre ni d'autres pays étrangers et qui avaient l'air de regarder de haut leurs humbles habitations. Ils ne tardèrent pas, d'autre part, à mesurer ce qui les distinguait de leurs voisins catholiques romains sur le plan de l'éducation. Les catholiques, disaient-ils, n'enseignent guère autre chose que la prière et le catéchisme :

> *Les fidèles sont formés et dressés à des rites et à des lois ecclésiastiques comme jamais une communion protestante n'accepterait de l'être. La liberté de pensée et d'actions en matière de religion... leur est refusée. Un jour sur quatre de leur année est jour férié, de sorte qu'ils passent un temps considérable à écouter des prières en latin*[9]*...*

Ce n'était pas là, aux yeux des gens des Cantons, s'occuper utilement. Une commission spéciale d'enquête du gouvernement, à l'époque des écoles de l'Assemblée (1829-1836) constata avec surprise, dit-on, le taux élevé d'alphabétisation des Cantons de l'Est, en contraste frappant avec le peu qui s'était fait dans les écoles de langue française[10].

Ces Américains, comme la plupart des protestants, avaient le sens de la dignité du travail très fortement ancré en eux, ainsi qu'une attitude positive à l'endroit du monde matériel, et ils estimaient que tout individu exerçant le métier qui lui convenait, si humble fut-il, œuvrait pour Dieu. Vivant presque tous à la campagne, dans une quasi-autarcie, et s'appuyant sur une organisation sociale aux mailles serrées, ils purent conserver au Québec leurs valeurs traditionnelles. On peut dire que l'alliance des pionniers venus de Nouvelle-Angleterre dans les Cantons de l'Est, avec les Écossais, les Anglais et les Irlandais a donné une culture distincte de celle du Montréal cosmopolite et commercial. Il est certain, en tout cas, qu'en ce qui concerne l'éducation, les deux populations se sont fréquemment trouvées en désaccord.

B. FONDATION DU SYSTÈME PUBLIC D'ÉDUCATION DU QUÉBEC

À cause de leurs divisions religieuses, culturelles et économiques, les protestants du Québec n'ont pas adopté tout de suite une attitude commune en ce qui concerne l'éducation.

Certains d'entre eux, sans aucun doute, savaient qu'en Écosse et aux États-Unis les écoles publiques du XIXe siècle tendaient à s'ouvrir aux enfants de toutes les Églises et sectes, de même qu'en Angleterre et en Amérique, vers 1820-1830, avec les *Non-sectarian Charity Schools* de Joseph Lancaster. L'école « non sectaire » (non liée à une communion particulière) accueillait, malgré les différences de doctrines évangéliques (moyens de faire son salut, rapports entre la loi et l'Évangile, nature de la justification et de la sanctification, etc.), les enfants des diverses communions, laissant l'enseignement de leurs doctrines respectives à la famille et à l'Église, et leur dispensait indifféremment une instruction inspirée par des principes moraux et religieux assez généraux pour être acceptables par tous. Ces écoles étaient plus démocratiques, du fait que l'instruction y était destinée à tous sans distinction de condition sociale.

Cette solution apportée aux problèmes de l'éducation ne pouvait guère convenir aux anglicans. En Angleterre, l'anglicanisme était la norme instituée par la loi. Ceux qui n'y adhéraient pas devaient fonder leurs propres académies. Les anglicans craignaient fort que de réduire l'enseignement de la vérité religieuse à de simples généralités acceptables par tout le monde ne lui fasse manquer son but. Ils soutenaient que, pour eux, « une formation religieuse fondée sur un credo précis était indispensable à leur jeunesse[11] ». Dans la conception anglicane, l'enseignement ne devait pas mettre l'accent sur le développement intellectuel au point où le voulaient certains autres protestants. Comme les catholiques romains, ils désiraient des écoles où le culte, la prière et l'enseignement de la vérité salvatrice imprégneraient tout et atteindraient à tous les niveaux la personne même de l'élève. D'autre part, les anglicans n'étaient peut-être pas convaincus tout à fait autant que d'autres que la démocratie était une base aussi solide pour l'ordre social que le règne d'une élite destinée par sa naissance et par une éducation spéciale à gouverner.

L'histoire de l'éducation au Québec, dans la première partie du XIXe siècle, a donc été marquée par un combat pour l'établissement des caractéristiques religieuses et sociales de l'école publique. Catholiques, laïcisants de langue française[12], anglicans, protestants « non sectaires », tous cherchaient à prendre le dessus sur les autres.

1. 1763-1837

L'enseignement privé, anglais comme français, existait déjà, particulièrement à Québec et à Montréal, dans les premières décennies du régime anglais ; le premier projet officiel de création d'un système commun d'éducation ne fut formulé qu'après les travaux d'une commission spéciale du Conseil législatif, chargée en 1787 par le gouverneur, lord Dorchester, d'étudier l'état de l'éducation au Canada. La commission recommanda l'établissement d'écoles gratuites dans tous les districts ainsi que celui d'une université « non sectaire » ; on sent peut-être là l'influence des idées américaines et presbytériennes du juge en chef William Smith, président de la commission[13]. L'enseignement, en Nouvelle-France, avait été l'affaire des congrégations religieuses aidées financièrement, parfois par le Roi. Il avait toujours eu un caractère religieux et catholique et sous l'influence des jésuites, il en était venu à relever de l'autorité de l'évêque de Québec. Le projet

Smith, bien qu'il reçût l'appui de certains catholiques, et notamment de Mgr Bailly de Messein, évêque coadjuteur, rencontra l'opposition de l'évêque en titre, Mgr Hubert et celle de Rome[14]. Il resta lettre morte dans l'immédiat.

Une loi scolaire fut adoptée en 1801. Elle créait un système d'éducation commun, mais c'est seulement en 1818 que fut créée, pour la mettre en vigueur, l'institution royale pour l'avancement des sciences. Dès avant 1818, on avait fondé quelques écoles « royales », subventionnées, dans des régions catholiques de langue française, protestantes de langue anglaise, ou mixtes du point de vue religieux, mais le clergé catholique ne leur avait guère donné son encouragement, parce que l'inspection et le droit de désigner les maîtres lui échappaient dans ces écoles.

Depuis 1814, la Chambre d'assemblée s'efforçait de légiférer en vue de la création d'écoles dont la direction resterait locale, étant donné :

> *... qu'il conviendrait infiniment mieux de laisser le Soin de l'Éducation de la Jeunesse, dans les paroisses de Campagne, au Curé et Principaux Habitants du lieu, tant pour le Choix des Maîtres, que pour la Surveillance. Que les Habitants craindront toujours d'envoyer les Enfants sous un Maître dont ils ne connaissent ni les Mœurs ni les Principes*[15]...

Tels furent les sentiments qui inspirèrent l'adoption, en 1824, d'une loi qui permit aux autorités religieuses locales (les fabriques) de construire et d'entretenir des écoles avec leurs propres moyens financiers auxquels s'ajouteraient des subventions du gouvernement.

L'Institution royale, pendant ce temps, se heurtait à de graves difficultés. Ses problèmes financiers étaient continuels. Les sommes provenant des biens des jésuites, qui devaient servir à l'éducation, avaient disparu dans d'autres directions. Parce que l'évêque anglican avait exigé de présider l'institution, alors que c'était la responsabilité de l'un des juges, l'évêque catholique refusa d'être syndic dans ces conditions et aucun autre représentant de l'Église catholique ne fut nommé. Le Conseil de l'institution royale se composa donc de juristes, de législateurs et d'ecclésiastiques éminents, mais presque tous de langue anglaise et anglicans. À partir de 1822, les règlements de l'Institution royale conférèrent au prêtre ou ministre local, des pouvoirs de visiteur officiel auprès de l'école du lieu, mais les curés refusèrent de jouer leur rôle. L'Institution royale établit la politique pour la désignation des maîtres dans les écoles de districts[16], qui consistait à choisir des candidats approuvés par les habitants, mais la résistance fut la même dans les districts de langue française et catholiques. À divers moments, on proposa de diviser l'autorité entre catholiques et protestants pour ce qui est des écoles royales. Il fut question d'abord de deux institutions royales distinctes, puis de deux comités distincts de l'Institution royale. Ces projets, appuyés pourtant par le gouverneur, Lord Dalhousie, et par plusieurs évêques catholiques successifs, échouèrent dans le heurt des antagonismes. Les protestants souhaitaient un système unifié[17] et répondant à leurs désirs ; l'Église catholique entendait diriger elle-même les écoles destinées aux catholiques ; et les députés de la Chambre d'assemblée avaient leurs idées bien à eux sur les écoles qui conviendraient au Québec.

L'Institution royale ne put jamais perdre sa physionomie anglaise et anglicane. Les districts de langue française la repoussaient à peu près totalement. Certains anglophones aussi avaient des reproches à lui faire. Une fois constituée enfin[18], elle ne comptait parmi ses syndics aucun représentant officiel de l'Église d'Écosse, tout aussi « établie » en Grande-Bretagne que l'Église d'Angleterre pourtant. Certains presbytériens ne devaient pas manquer de constater qu'on ne distribuait dans les écoles que des catéchismes anglicans. Les méthodistes ne pouvaient être heureux de ce qu'on leur refusât de tenir leurs réunions religieuses dans les locaux scolaires. Et les gens des Cantons de l'Est auraient voulu exercer une autorité sans partage sur leurs écoles[19]. L'Institution royale parvint à fonder les *Grammar Schools* (écoles secondaires) de Québec et de Montréal, ancêtres des *High Schools* de ces deux villes, et à lancer les premiers cours, assez précaires, du *McGill College*, mais la plupart de ces écoles disparurent dans les années 1830, lorsque les subventions et conditions plus généreuses de l'Assemblée législative à l'égard de son propre système scolaire vinrent lui faire concurrence.

Les écoles de l'Assemblée, inspirées du côté français par un puissant mouvement laïcisant, eurent le vent dans les voiles pendant quelque temps, puis s'étiolèrent lorsque l'Assemblée législative et le Conseil législatif se disputèrent l'autorité sur les fonds publics, et elles finirent par disparaître dans les convulsions sociales résultant de l'insurrection de 1837. Une commission d'enquête sur l'état de l'instruction publique dans le Bas-Canada, instituée par le gouverneur, Lord Gosford, attribua l'état de faiblesse des écoles de l'Assemblée en 1836 à l'absence d'une autorité centrale. Le rapport de la commission semblait blâmer l'Assemblée pour ne pas avoir su faire naître un sentiment collectif de responsabilité vis-à-vis de l'éducation. Les membres de la commission, cependant, ne purent ou n'osèrent pas, indiquer de voie à suivre pour remédier à cette lacune.

Pendant ces années-là et pendant plusieurs dizaines d'années encore, des précepteurs ou de petites écoles dans les maisons privées donnaient une instruction élémentaire aux enfants des riches protestants des villes. Pour les autres, il y avait les *Charity Schools*. À Québec et à Montréal il y avait des *National Schools*, inspirées du système de Madras d'Andrew Bell, où des étudiants participaient à l'enseignement à titre de moniteurs et où tout enseignement religieux était spécifiquement anglican. Les *British and Canadian Schools*, dans ces deux villes, qui existaient sous l'égide d'un comité d'intercommunions de citoyens, avaient recours au système de moniteurs de Joseph Lancaster[21]. L'Église presbytérienne américaine de Montréal[22] ainsi que les méthodistes et d'autres, fondèrent leurs propres écoles à Montréal, à diverses époques. Dans les Cantons de l'Est, la *Newfoundland and British North American Society for Educating the Poor* (Société de Terre-Neuve et d'Amérique du Nord britannique pour l'éducation des pauvres) eut des écoles élémentaires qui donnaient « un bon enseignement des Écritures[23] », en complément de l'œuvre missionnaire anglicane de la *Society for the Propagation of the Gospel*. Ces *Charity Schools* protestantes accueillaient les enfants des deux sexes, de langue française comme de langue anglaise et de toute religion. L'enseignement s'y donnait en anglais. Au-dessus de ce niveau, il y avait les *Royal Grammar Schools* (écoles secondaires) dans les villes et plusieurs académies dans les campagnes.

2. 1837-1846

Le rapport de Lord Durham, en 1839, sur les affaires de l'Amérique du Nord britannique, recommande l'union des deux Canada et l'octroi à la colonie de la responsabilité du gouvernement devant le peuple. Le rapport donnait d'autre part à entendre que seule l'anglicisation éventuelle du pays apporterait une solution à ses problèmes intérieurs. La partie du rapport concernant l'éducation, publiée en appendice, adoptait aussi cette prémisse. L'enquête sur l'éducation à partir de laquelle étaient formulées ces recommandations avait été faite par une équipe que présidait Arthur Buller. Le rapport recommandait la création d'un système scolaire commun transcendant les divisions linguistiques, culturelles et religieuses, au sein duquel il y aurait un équilibre suffisant entre pouvoirs locaux et pouvoir central, et qui serait financé à la fois par des impôts scolaires directs et par des subventions de l'État. Quant à l'enseignement religieux, il pourrait se faire à l'aide d'un recueil d'extraits de l'Écriture sainte, comme cela se faisait dans les *National Schools*, en Irlande, ou d'un recueil fait par un comité de clercs représentant toutes les communions religieuses. Un enseignement religieux complémentaire pourrait être assuré aux enfants après les heures de classe. On a dit du rapport Buller qu'il était une « tentative intéressante dans le sens de ce qui, idéalement, aurait pu être le meilleur système d'éducation pour le Bas-Canada, si les conditions de fait n'avaient pas opposé des obstacles insurmontables à son adoption[24] ». On ne s'étonnera pas que le rapport Buller ait été appuyé surtout par les « milieux séculiers d'origine britannique[25] ». Une autre proposition, celle de Charles Mondelet, était d'un intérêt plus pratique pour le Bas-Canada, tout en demeurant elle aussi plutôt idéaliste : il s'agissait d'un système scolaire sur le modèle de celui de l'État de New York. Mondelet partait de l'idée que l'anglais serait un jour la langue commune, au Canada, mais qu'il y avait lieu de favoriser le bilinguisme et de prévoir une certaine liberté pour l'enseignement en français. Écoles anglophones et écoles francophones pourraient être construites à proximité les unes des autres ou cohabiter sous le même toit, de sorte que les deux peuples en viendraient à se comprendre et à se respecter. Dans ce système scolaire commun, le « clergé, le gouvernement et le peuple[26] » participeraient ensemble à l'orientation générale et à la direction des écoles, le dernier mot appartenant toutefois au Parlement. Pour l'enseignement religieux à l'école publique, Mondelet envisageait, comme Buller, un recueil de textes bibliques réunis par les représentants des diverses communions.

Le Parlement du Canada-Uni, à sa première session, en 1841, fut saisi du projet Mondelet (qu'appuyait le gouverneur, Lord Sydenham) et de quelques autres projets devant servir de modèles en vue de la préparation tellement nécessaire d'une loi sur l'éducation. Cependant, les députés étaient assiégés en même temps d'une foule ahurissante de pétitions et de suggestions et il était impossible d'envisager une solution à tout le moins simple. Les catholiques tenaient à posséder leurs propres écoles, subventionnées par l'État ; l'évêque anglican Strachan en voulait autant pour son Église. D'autre part, plusieurs dirigeants religieux et communions locales, qui en grande partie relevaient des Églises anglicane et presbytérienne du Bas-Canada, inondaient le Parlement de pétitions contre l'usage d'un recueil de textes bibliques à l'école. Ils exigeaient, pour reprendre les termes de l'une des pétitions : « ... que la Bible... soit reconnue comme le livre scolaire qui sera utilisé dans toutes les écoles publiques... dans toute la province, là où des enfants protestants recevront leur éducation[27]... » Une sous-commission parlementaire chargée d'examiner tous ces points de vue finit par présenter des propositions envisageant la création d'un système scolaire commun ; afin que l'on pût espérer l'adoption d'un projet de loi dans ce sens, elle dut y faire entrer une disposition prévoyant le droit de se dissocier du système pour des raisons d'ordre religieux et de créer des écoles dites « dissidentes » qui bénéficieraient elles aussi des subventions de l'État, à titre égal.

La loi de 1841 se révéla difficile à mettre en application, à cause de son manque de caractère pratique et de son imprécision. On nomma un surintendant de l'instruction publique et deux adjoints, un pour chacune des anciennes provinces. Très vite, cependant, on dut se rendre compte que le Haut-Canada et le Bas-Canada ne pouvaient être gouvernés par une seule et même loi scolaire. L'un et l'autre avaient des coutumes et des structures de gouvernement local distinctes, et dans l'un comme dans l'autre la majorité de la population avait sa manière à elle d'envisager la question de l'éducation. Le Haut-Canada, en conséquence, obtint une loi sur l'éducation en 1843, et le Bas-Canada, après une tentative infructueuse en 1845, eut en 1846 la loi sur laquelle repose encore le système actuel.

La loi de 1846 sur l'instruction publique confia les écoles communes de la province du Bas-Canada (le Canada-Est) à des « commissaires d'écoles » qu'élisaient, sauf à Québec et à Montréal, les propriétaires fonciers résidants de chaque municipalité scolaire. Les commissaires recevaient le pouvoir, sous la direction générale du surintendant de l'instruction publique, de posséder des biens ; de construire et d'entretenir des écoles ; d'engager et de congédier les maîtres ; de déterminer le plan d'études, en n'utilisant à l'école que des textes approuvés par le « Bureau des examinateurs », à cette exception près que le prêtre, curé ou ministre du lieu choisissait lui-même les livres devant servir à l'instruction morale et religieuse des élèves de sa paroisse ou d'une autre communion ; d'assurer la visite des écoles ; de lever et percevoir des impôts scolaires ; et enfin de recevoir des subventions du gouvernement. Une disposition relative aux « dissidents » était reprise de la loi de 1841 :

> *Que lorsque dans aucune municipalité les règlements et arrangements des commissaires d'école pour la conduite d'une école quelconque ne conviendront pas à un nombre quelconque d'habitants professant une croyance religieuse différente de celle de la majorité des habitants de telle municipalité, il sera loisible aux dits habitants dissidents collectivement de signifier leur dissentiment par écrit au président des dits commissaires, et de lui soumettre les noms de trois syndics choisis par eux pour les fins de cet acte.*

Les syndics dissidents recevaient les mêmes fonctions en ce qui concerne les écoles dissidentes que les commissaires en ce qui concerne les écoles communes, y compris le pouvoir de lever des impôts scolaires, et ils recevaient leur part proportionnelle des subventions de l'État.

Les règles adoptées ne furent pas tout à fait les mêmes que pour les zones urbaines du Bas-Canada. Les villes de Montréal et de Québec eurent chacune deux commissions scolaires, une catholique et une protestante. Celles-ci, bien que « dénominationnelles[29] », devaient admettre les élèves d'autres confessions ou communions qui le demandaient et pour lesquels on n'avait pas prévu d'autre école. Les « commissaires d'écoles » de ces villes étaient désignés par le conseil municipal, ce qui fut modifié plus tard de façon à ce que trois des six membres de chaque commission soient nommés par le gouvernement provincial. Les écoles devaient être financées par les municipalités en cause, dans le cas desquelles les subventions du gouvernement étaient proportionnelles au chiffre de la population, mais très inférieures à celles que recevaient les localités rurales, moins bien desservies par des écoles privées. En fait, les commissions scolaires des villes n'avaient pas grand-chose à faire, du moins à cette époque. Plus tard (toujours au XIXe siècle), en raison des transformations de la société, de plus en plus d'enfants eurent besoin de l'école publique en ville.

La loi créait aussi, à Montréal et à Québec, des « bureaux d'examinateurs » chargés de vérifier la compétence des candidats à la fonction enseignante et de délivrer les brevets d'enseignant. Chacun des bureaux d'examinateurs avait sa section catholique et sa section protestante. La loi désignait comme visiteurs des écoles les prêtres, les ministres et certains autres titulaires de fonctions publiques des localités ou des « municipalités scolaires ». Leur rôle de surveillance et d'inspection, on dut s'en rendre compte, ne fut pas toujours rempli avec une bien grande fidélité.

Les lois des années 1840 tendaient à instituer dans les deux Canada[30] un système d'éducation commun, et non pas « dénominationnel » (lié aux communions religieuses). L'école devait être ouverte à tous et placée sous l'autorité de l'ensemble des citoyens du lieu, comme dans le projet Mondelet, calqué sur le système de New York. Presque tout le monde approuvait l'idée qu'un des buts principaux de l'éducation était d'inculquer aux enfants les vertus qu'il fallait pour la formation de leur caractère et de leur moralité. Les catholiques estimaient qu'on ne pouvait atteindre ce but que par une influence de l'Église à l'école, et les protestants mettaient leur espoir à cet égard dans l'étude de la Bible. Les lois scolaires, toutefois, n'allaient pas jusqu'à indiquer ce que devaient être les buts de l'éducation, ni la manière dont ces buts pouvaient être atteints, non plus que la langue dans laquelle devait se faire l'enseignement. C'étaient là des questions à trancher à l'échelon de la commission scolaire locale et par la voie démocratique. Aux yeux des auteurs de la loi, la clause de dissidence n'avait pour objet que de tenir compte des cas exceptionnels où les citoyens d'une municipalité ne pouvaient absolument pas s'entendre sur la manière dont il convenait d'assurer la dimension religieuse de l'éducation. Le principe de l'enseignement « dénominationnel » ne devait nullement conduire à la fragmentation du système scolaire. Lorsque le procureur général Sherwood émit l'idée, en 1846, devant l'Assemblée législative, que l'on pourrait instituer des systèmes d'enseignement public « séparés » pour les diverses communions religieuses, ou « dénominations », Robert Baldwin le stoppa net en disant que :

> *Si vous laissez toutes les dénominations avoir leurs écoles séparées, vous allez détruire tout le système des écoles communes, car les riches auront de bonnes écoles et les pauvres n'en auront aucune*[31].

Dans l'ensemble du Canada-Est, l'opposition à l'uniformité d'organisation imposée par la loi scolaire de 1846 fut immédiate et puissante. Les impôts scolaires obligatoires, aspect fondamental du système, soulevèrent dans plusieurs régions ce que l'on a appelé « la guerre des éteignoirs », c'est-à-dire une obstruction active de l'organisation des écoles et la destruction par incendie d'écoles déjà existantes. Du côté protestant, on se plaignait de ce que la loi ne fût pas équitable pour les minorités, du fait que les syndics des écoles dissidentes n'avaient pas l'égalité des droits avec les commissaires d'écoles. Ils ne pouvaient, notamment, lever leurs propres impôts. John Dougall, directeur du *Journal Montreal Witness,* réagit à la loi de 1846 en lançant une campagne « pour l'école chrétienne » ; il demandait qu'il y ait un surintendant de l'instruction publique pour les protestants, car on ne pouvait compter que le surintendant unique, qui serait toujours un catholique, montrerait bien du zèle en faveur de l'enseignement protestant[32]. Quant aux autorités catholiques, favorables en général à la loi de 1846, elles se montraient inquiètes de ce qu'en exigeant que les commissaires d'écoles fussent propriétaires on écarta les prêtres de ces fonctions. La loi fut révisée en 1849 et l'on fit droit à certaines de ces demandes. On permit aux prêtres de devenir commissaires d'écoles, même sans être propriétaires, et les « dissidents », lorsqu'ils n'étaient pas satisfaits de la manière dont les choses étaient administrées, obtinrent le droit de demander aux commissaires de leur céder le rôle d'évaluateur pour leurs propres écoles et le privilège de lever et de percevoir leurs propres impôts. Il semble clair, cependant, que le surintendant de l'instruction publique, J.-B. Meilleur, jugea de son devoir de sauvegarder le principe de l'école commune et de décourager la dissidence. Le fait est que, jusqu'à la Confédération, il y eut assez peu d'écoles protestantes dissidentes et de catholiques dissidentes, encore moins[33]. Le besoin d'écoles dissidentes n'était pas un besoin réel dans le Canada-Est, sauf dans les régions rurales où coexistaient des populations de religions différentes. En fait, la plupart des écoles, tout en demeurant écoles communes au regard de la loi, devinrent soit catholiques, soit protestantes.

3. 1846-1867

Le principe de l'autorité locale sur l'école, qu'avaient retenu les premières lois sur l'éducation, n'assurait guère, de l'avis de certains, des normes élevées et uniformes d'enseignement. En 1851, une loi créa un corps d'inspecteurs relevant du surintendant de l'instruction publique. La Commission Sicotte, chargée par le Parlement de faire enquête sur les conditions qui régnaient dans les écoles, formula en 1853 diverses recommandations visant à rehausser la qualité de l'enseignement par une plus grande centralisation de l'autorité. Lorsque P.-J.-O. Chauveau devint surintendant, en 1855, il mit en branle une vigoureuse politique de centralisation. Une de ses premières initiatives dans ce sens fut de faire présenter un projet de loi qui affectait des fonds[34] en permanence à l'enseignement supérieur (secondaire), grâce en partie aux revenus des biens des jésuites, et qui confiait la distribution de ces subventions au Bureau du surintendant. À cette initiative de Chauveau s'opposèrent des personnalités protestantes telles qu'Alexander Galt, R. B. Somerville et J. H. Nicolls, recteur du collège Bishop's, qui voyaient un danger pour les intérêts protestants[35] dans l'attribution de tels pouvoirs à un fonctionnaire qui serait toujours un catholique. Galt préconisait plutôt un resserrement des liens entre commissaires d'écoles et conseils municipaux. Ce fut Chauveau qui l'emporta. La loi de 1856 sur l'éducation fut adoptée et le surintendant sut ensuite se faire respecter des protestants par sa compétence et son esprit d'équité.

De 1856 à 1864, les relations furent assez bonnes entre francophones et anglophones et entre catholiques et protestants, qui travaillaient ensemble à l'édification d'un bon système d'éducation au Bas-Canada. On trouvait, de plus en plus, le moyen de coexister. Chauveau publiait en français et en anglais séparément, son *Journal de l'éducation*. Les écoles normales créées en vertu de la loi de 1856 furent constituées de façon à tenir compte des différences de religion et de langue. Il y avait eu une tentative antérieure d'organisation de la formation des maîtres (École normale de Montréal, 1837-1842), mais elle n'avait pas tenu compte de ces différences. Lorsque les nouvelles écoles normales furent créées, en 1857, il fut entendu que celle de McGill, protestante, donnerait son enseignement en anglais (tout en accordant de l'importance à la conversation française) et que l'école normale Laval à Québec et l'école normale Jacques-Cartier à Montréal enseigneraient en français. Dans l'une et l'autre situation, la minorité linguistique[36] devait se débrouiller comme elle le pouvait ; le problème se posait surtout dans les écoles normales catholiques, dans le cas des Irlandais anglophones, relativement nombreux.

Il y eut ainsi une dizaine d'années de bonne entente. Le nouveau Conseil de l'instruction publique, qui se réunit pour la première fois vers la fin de 1859, après avoir été créé par une loi quelques années plus tôt, pouvait envisager l'avenir avec une certaine confiance. Il se composait de 11 catholiques et de quatre protestants, ces derniers comprenant l'évêque anglican Fulford et le représentant John Cook de l'Église d'Écosse, et il constituait un mécanisme de centralisation de l'autorité sur l'éducation, tout en opérant une certaine distribution de cette autorité, dévolue en droit au seul surintendant. Le Conseil de l'instruction publique était autorisé à imposer des règlements aux écoles normales et aux écoles communes, à fixer des normes pour la certification des maîtres et à dresser des listes de manuels scolaires approuvés (sauf pour l'enseignement de la morale et de la religion), parmi lesquels les autorités scolaires locales avaient la possibilité de choisir pour constituer leur matériel scolaire. On trouva bientôt commode d'abandonner à des comités « catholiques » et « protestants » du Conseil, formés officieusement, le choix de certains textes scolaires destinés aux écoles de leur confession religieuse respective et qui n'avaient pas à être approuvés nécessairement par l'ensemble du Conseil. Ce fut un premier pas vers des programmes d'études distincts pour les écoles catholiques et les écoles protestantes.

La loi de 1846 avait envisagé de faire entrer l'enseignement dit « supérieur », c'est-à-dire l'enseignement secondaire, dans le système d'éducation du gouvernement, mais ce n'est que graduellement qu'y entra la plus grande partie de cet enseignement ; du côté catholique, cela ne s'est fait qu'assez récemment. Les écoles n'en étaient pas moins subventionnées par l'État. Le Comité protestant, dans les années 1970 et 1980, usa de l'octroi des subventions pour obtenir la collaboration des écoles supérieures qui seraient obligées jusqu'à un certain point dorénavant, de lui rendre des comptes et de se soumettre à l'inspection.

Vers le milieu du siècle, les anglicans renoncèrent enfin à exercer leur autorité sur l'enseignement public ; ils renoncèrent même à ce qu'il y ait des écoles anglicanes au sein du système d'éducation du gouvernement. Les commissions scolaires créées à Montréal et à Québec en 1846 n'avaient été appelées que catholiques et protestantes, sans plus de précision. Nous avons vu d'autre part que la loi de 1846 n'établissait pas d'autre division que celle-là au sein des Bureaux d'examinateurs. La composition du Conseil de l'instruction publique observait la même norme générale.

Les anglicans durent de même renoncer à exercer une influence spéciale à l'université McGill, puisqu'une nouvelle charte fit de cette dernière, en 1852, une université séculière. McGill constitua dès lors une sorte de modèle pour ce qui est de l'unité d'action des protestants en matière d'éducation. Il fut entendu que McGill était protestante. Elle déclarait que son enseignement reposait sur les principes de la morale et de la religion chrétiennes[37]. Elle en vint à acquérir la réputation de représenter les intérêts des enseignants de foi protestante et finit par regrouper autour d'elle des collèges de théologie protestante. Ses gouverneurs ne furent plus nommés par la Couronne, mais choisis par cooptation, et ils représentaient les diverses « dénominations » protestantes de la province. McGill était donc protestante, mais sans être soumise à une direction ecclésiastique ; elle était séculière, mais non irréligieuse : bref, un modèle tout trouvé pour faire comprendre ce qu'étaient les écoles protestantes. Certains anglicans accueillirent le nouvel état de choses avec une réserve que l'on perçoit aisément dans le discours que fit l'évêque anglican de Montréal en 1857, à l'inauguration de l'école normale McGill :

> *Il est bien clair que dans un établissement comme celui-ci, soutenu par les fonds publics et ouvert à diverses communions, il faut prévoir une certaine modification de la foi, il faut un certain compromis... et bien que je proteste contre le fait qu'on ignore la religion, fondement de toute bonne éducation, et bien que je ferai toujours entendre cette protestation, et que je n'accepte pas la présente organisation comme la meilleure en soi, mais comme la meilleure à laquelle il soit possible de parvenir, je m'efforcerai avec mes collaborateurs, dans la mesure où une part si faible soit-elle de la tâche nous incombera, de réaliser, pour le bien de cette province du Bas-Canada les fins de cette institution*[38].

Le principal Dawson, au contraire, affirma que l'enseignement « non dénominationnel » avait été l'idéal recherché par les protestants du Bas-Canada depuis que la commission du juge en chef Smith l'avait recommandé en 1789[39].

L'unité se fit rapidement chez les protestants du Québec que la Confédération prochaine destinait à une situation minoritaire dans une province où allaient apparemment dominer les valeurs canadiennes-françaises, et donc les valeurs catholiques. En 1866, la *Provincial Association of Protestant Teachers* (P.A.P.T.) de formation toute récente et dont Dawson était un pilier, adressa à la Couronne une pétition l'implorant de faire en sorte que, les protestants ne pouvant posséder au Québec « un système d'éducation général et non dénominationnel[40] » comme celui du Haut-Canada, l'on tienne compte de la protection nécessaire de leurs droits en matière d'éducation. Ils émettaient l'idée que les protestants devaient être autorisés à créer et à diriger leur propre système d'éducation et qu'ils devaient avoir le droit de payer à ce système la totalité de leurs impôts scolaires. Les auteurs de la pétition n'obtinrent pas tout ce qu'ils demandaient, mais l'Acte de l'Amérique du Nord britannique de 1867, article 93, accorda aux minorités religieuses des garanties plus précises qu'il n'en avait été question à la Conférence de Québec de 1864. Cela fut peut-être principalement attribuable à Alexander Galt, l'un des pères québécois de la Confédération, qui fut de ceux qui allèrent à Londres négocier la loi de la fédération et dont on dit qu'il fut l'auteur du projet qui servit à établir le libellé définitif de l'article 93.

4. 1867-1875

Des lois provinciales en matière d'éducation, en 1869 et 1875, assurèrent entre catholiques et protestants une division encore plus nette de l'autorité sur les écoles, ce qui constitua une victoire à peu près complète de la confessionnalité sur l'idée de l'école commune à tous.

La loi de 1869 visait surtout, probablement, à rassurer les protestants, qui demandaient à hauts cris que l'on donne suite à une promesse faite par George Étienne Cartier avant la Confédération et suivant laquelle la province de Québec protégerait l'enseignement protestant. On continuait, chez les protestants, à réclamer la séparation complète des deux systèmes d'éducation, le catholique et le protestant. Le premier défi jeté dans ce sens au gouvernement de la nouvelle province vint des commissaires d'écoles protestants de Montréal, qui menacèrent de recourir à leur droit d'appel, d'acquisition récente, auprès du Gouverneur général en conseil, si le principe des « impôts protestants aux écoles protestantes » n'était pas institué dans leur ville. L'influence des protestants au sein du gouvernement provincial était assez puissante. P.-J.-O. Chauveau, devenu premier ministre de la province et ministre de l'instruction publique (portefeuille créé en 1867), jouissait de la confiance des protestants. Christopher Dunkin, qui jouait un rôle de premier plan dans le monde de l'éducation depuis 1837, année où il avait été secrétaire de la commission d'enquête d'Arthur Buller sur l'éducation, était trésorier de la province et porte-parole principal des protestants au sein du Cabinet. Le chef de l'opposition, Henri Joly de Lotbinière, était protestant et sympathique à la cause. Henry Hopper Miles, ancien professeur à Bishop's, avait été nommé secrétaire anglais du ministère de l'instruction publique et il servait d'interprète officiel des besoins et désirs des protestants en matière d'éducation. C'est dire que la loi de 1869 traitait fort bien les protestants. Les commissions scolaires des villes avaient les moyens de se procurer les ressources financières qui, du moins dans le cas de Montréal, seraient indispensables pour le développement futur de l'école publique. Le système de comptabilité « à deux panneaux » qui fut adopté permettait aux protestants et aux catholiques de faire servir les impôts de leurs contribuables à leurs écoles respectives et de se répartir les impôts versés par les sociétés. Le Conseil de l'instruction publique était divisé officiellement en deux comités, l'un protestant et l'autre catholique, qui pouvaient siéger séparément, chacun pour ses affaires propres, mais dont les décisions devaient cependant être ratifiées par le Conseil plénier. Au surplus, la loi autorisait formellement l'un et l'autre comité à demander la séparation complète des deux comités au sein du Conseil si la chose devenait un jour nécessaire. La loi maintenait les pouvoirs du ministre de l'Instruction publique, ce que certains, et probablement Chauveau lui-même, voyaient comme le symbole de l'unité essentielle dans la diversité de l'éducation au Québec et comme la preuve que le principe de l'école « commune » était toujours maintenu.

La loi de 1875, qui supprima le ministère de l'Instruction publique et le remplaça par une nouvelle surintendance de l'instruction publique, résulta peut-être, du moins pour une part, de pressions de plus en plus fortes exercées sur le gouvernement provincial en vue d'une plus grande autorité des évêques catholiques sur l'éducation des enfants catholiques. La tendance ultramontaine, devenue puissante au Québec, s'inquiétait fort de l'accaparement croissant de l'éducation par l'État[41]. Les catholiques du Nouveau-Brunswick n'avaient pu obtenir d'intervention fédérale après qu'une loi de cette province, en 1871, eut restreint leurs droits, ce qui, bien sûr, inquiétait ceux qui au Québec revendiquaient les mêmes droits. Boucher de Boucherville, successeur de Chauveau comme premier ministre, leur était sympathique. Des protestants en vue, mais non Alexander Galt[42], étaient aussi favorables au projet de loi de 1875, pour des raisons qui leur étaient propres. L'évêque anglican de Québec, James Williams, qui allait bientôt devenir président du nouveau Comité protestant, craignait des abus du côté de l'inspection des écoles,

les postes d'inspecteurs étant attribués sur une base politique. « Il n'y a rien de bon à attendre aussi longtemps que le pédagogique ne sera pas séparé du politique[43] », avait-il déclaré publiquement. À une réunion de membres protestants du Conseil de l'instruction publique et de législateurs protestants, durant le débat sur le projet de loi, on émit le vœu que deux postes de surintendant de l'instruction publique soient institués, l'un catholique et l'autre protestant, et que les membres du Comité protestant soient plus nombreux[44]. La loi de 1875 ne fit pas droit directement à ces nouvelles demandes des protestants, mais elle stipula que le Comité catholique du Conseil de l'instruction publique, qui se composerait désormais de tous les évêques catholiques de la province, membres d'office, et d'un nombre égal de laïcs, exercerait une autorité exclusive sur l'éducation en ce qui concerne les écoles catholiques, et que le Comité protestant, composé de personnes nommées par le Lieutenant-gouverneur en conseil, après consultation des principales communions protestantes, et d'autres membres que le Comité lui-même coopterait, exercerait une autorité exclusive sur toutes les écoles protestantes recevant des subventions du gouvernement. Les subventions pour l'enseignement supérieur, dont le montant total serait divisé entre les catholiques et les protestants au prorata de leur population d'après le dernier recensement en date, devaient être réparties entre les écoles selon les décisions du comité confessionnel en cause. L'attribution des subventions pour l'enseignement primaire et la direction des inspecteurs restaient confiées au surintendant de l'instruction publique.

C'est donc à 1875 que remonte l'organisation de l'éducation en deux systèmes confessionnels au Québec. Des mesures prises ultérieurement vinrent confirmer et approfondir encore le clivage de l'autorité sur l'éducation entre la division catholique et la division protestante. Les pouvoirs du « secrétaire anglais », qui en vint à cumuler le poste de secrétaire du Comité protestant, s'accrurent à un tel point qu'il devint en fait le secrétaire exécutif et le directeur général de l'enseignement protestant, même si le titre de directeur ne lui fut donné officiellement qu'en 1925. Les nouvelles municipalités scolaires créées par décret pour répondre aux besoins résultant de consolidations d'écoles ou du développement de nouvelles zones d'habitation ajoutèrent à leur nom, après 1890, la mention « pour catholiques » ou « pour protestants »[45]. Le caractère « commun » des deux systèmes était conservé par l'existence du surintendant de l'instruction publique et par celle du Conseil de l'instruction publique, devenu après 1925 le Conseil de l'éducation. Cependant, le Conseil ne se réunit que très rarement après 1875. Telles furent donc les conditions qui régnèrent jusqu'à l'adoption des lois de 1964 sur l'éducation.

Après la Confédération, ni les catholiques ni les protestants ne voulaient d'un système d'éducation commun pour le Québec, mais pour des raisons différentes. Les catholiques redoutaient l'influence laïcisante qu'exercerait un système étatique. Ils voyaient dans la France de l'époque, l'illustration de ce qui pouvait arriver lorsqu'on laissait les jeunes lire Voltaire et les autres écrivains « infidèles ». Ils se devaient, estimaient-ils, de donner aux parents catholiques des écoles catholiques. Les protestants, pour leur part, ne jugeaient pas prudent de confier les intérêts culturels de leur population minoritaire à un gouvernement ou à des fonctionnaires qui étaient étrangers à leur culture. Il se constitua donc des systèmes confessionnels. Au sein des deux systèmes, toutefois, des conceptions diverses se faisaient jour sur ce que devait être le contenu de l'enseignement.

Dès avant la Confédération, les anglicans avaient fini par se joindre sans réticences à l'effort collectif d'édification d'un système public protestant d'éducation. Peut-être est-il significatif qu'en dépit de la présence du principal Dawson au sein du Comité protestant, et de la forte influence qu'il y exerça jusqu'aux approches du nouveau siècle, les postes officiels, comme la présidence du Comité et le poste à temps plein de secrétaire « anglais », furent confiés la plupart du temps à des anglicans[46]. La majorité des protestants du Québec avaient découvert certains principes d'unification qui prirent le dessus sur leurs divergences. Il importe de comprendre plus précisément ce qu'étaient ces principes, et en particulier de savoir ce que fut le coût de l'unité ainsi réalisée.

C. PRINCIPES FONDAMENTAUX DE L'ÉDUCATION PROTESTANTE

La plupart des protestants, en 1867, partageaient la conviction que l'éducation pour tous n'était pas seulement souhaitable, mais indispensable, tant pour l'individu que pour l'ensemble de la société. À ceux qui craignaient encore que l'instruction ne donnât aux classes inférieures des idées extravagantes sur de supposés droits, on répondait que l'instruction réduisait la criminalité en inculquant à tous de justes principes moraux, et que d'autre part l'industrie moderne devait pouvoir compter sur une discipline intérieure et une libéralisation de l'esprit que pouvait seul produire l'enseignement. Il y avait aussi le vieil argument protestant, remontant à Luther lui-même et que Joseph Lancaster[47] et d'autres répétaient aux habitants de Montréal : en devenant capable de lire, chacun devenait capable de lire la Bible et y trouvait un enseignement moral et religieux s'adressant directement à sa conscience et proportionnel à l'effort qu'il y mettait. Ces opinions faisaient peu à peu régner l'idée que l'instruction primaire était un droit universel et que ceux qui avaient la charge de la dispenser s'acquittaient par là d'un devoir civique autant que religieux. Les discours sur l'alphabétisation universelle invoquaient parfois l'argument économique, et souvent aussi celui de l'amélioration de la qualité de la vie locale et nationale par le relèvement général du niveau d'« intelligence » et par l'enrichissement intérieur des citoyens.

Une des théories de l'éducation communément admise alors était que l'école devait développer principalement les capacités mentales, les facultés, et ne chercher qu'indirectement à faire acquérir un ensemble de connaissances. Il ne fallait pas non plus développer seulement l'intelligence, disait-on, mais la « conscience » et le « cœur ». La formation du caractère venait donc en premier lieu dans les buts de l'éducation.

Là où les opinions divergeaient, c'était sur les méthodes à préférer. Des professeurs de Bishop's et de nombreuses académies voyaient dans l'étude poussée des langues classiques la meilleure méthode d'éducation :

> *Elles ont pour objet de discipliner l'esprit, de relever le goût et de développer le sens critique. Améliorer le goût et donner du sens critique, cela se fait communément en familiarisant l'esprit de l'adolescent avec les chefs-d'œuvre de la littérature*[48].

Cependant, les éducateurs qui suivaient la tradition réaliste de Bacon, de Comenius, de Milton, de Pestalozzi, etc., soutenaient pour leur part que « l'esprit tire d'abord ses connaissances des objets extérieurs qui agissent sur les organes des sens[49] » et qu'il importe au plus haut point, par conséquent, que l'enfant apprenne à observer les choses avec justesse. La clarté du raisonnement et la sûreté du jugement ne se développeront plus tard qu'autant qu'il aura appris à percevoir correctement. C'est donc sur les choses, non pas sur les mots, que doit se concentrer l'enseignement, particulièrement l'enseignement primaire. L'université McGill se rattachait quelque peu à cette tendance. Tout en conservant les humanités classiques et les mathématiques comme ses disciplines de base, elle mettait aussi l'accent sur les sciences naturelles, la littérature anglaise et l'histoire. C'était une orientation réaliste qu'appuyaient en Angleterre les écrits de Herbert Spencer. McGill fournissait aussi un exemple d'orientation protestante typique vers l'« utilité » lorsqu'elle se préoccupait de formation professionnelle pour les carrières libérales. C'est ainsi qu'elle se donna des facultés de génie et de chimie pratique, après celles de médecine et de droit. La théologie vint bientôt s'y ajouter par l'affiliation des collèges de théologie de diverses communions religieuses. Dans le même esprit, McGill se montra innovatrice en ouvrant, dès les années 1880, l'enseignement universitaire aux femmes. Au niveau de l'académie, l'un des traits qui distinguaient le plus l'enseignement protestant de l'enseignement catholique était la facilité toute simple avec laquelle de nombreuses écoles secondaires protestantes accueillaient ensemble les deux sexes. L'importance accordée aux sports de compétition dans le cadre même de la vie scolaire, par exemple sous l'impulsion du directeur Williams de l'école secondaire du collège Bishop's, qui fut plus tard évêque, devint aussi jusqu'à un certain point un trait distinctif de l'enseignement protestant.

Une autre préoccupation commune des divers agents, dans l'éducation protestante, concernait les qualités humaines que l'on souhaitait et que l'on cultivait, tant chez les maîtres que chez les élèves. Les professeurs devaient avant tout faire preuve de « bonté de cœur et de haute moralité ». Ils devaient éviter tout « esprit mercenaire » lorsqu'ils sollicitaient les hautes fonctions d'enseignant et ils devaient toujours donner le bon exemple à leurs élèves[50]. Leur tâche exigeait, ne cessait-on de leur répéter, un dévouement comparable à celui du pasteur ; elle constituait en réalité une vocation religieuse aussi noble que la sienne. Dans les pages du *Journal of Education* abondaient les énumérations de vertus à cultiver chez les élèves. Margaret Robertson, de Sherbrooke, dans une dissertation qui fut primée en 1865, insistait sur « la clarté de vision mentale dont est récompensée la patience de celui qui cherche la vérité », et sur « la vigueur mentale que l'on acquiert en abordant de front et en surmontant les difficultés[51] ». L'inspecteur John Bruce, de Huntingdon, attachait une grande importance à l'effort :

> *De quel côté trouvons-nous chez nous les caractères les plus braves, les plus nobles, les plus purs ? Est-ce que ce n'est pas chez les hommes de travail, travail aussi bien physique que mental ? Quels sont ceux qui ralentissent les progrès de notre race ?... Ceux qui ne travaillent que par nécessité, par peur de mourir de faim : certainement pas nos robustes classes laborieuses, nos hommes qui se donnent tout entiers à l'effort et dont le capital est le temps, dont ils tirent parti de chaque moment. Ceux-là sont nos hommes indispensables, ils sont les ornements de l'humanité. C'est d'eux que dépend le progrès de notre société*[52].

Le même Bruce touchait une autre corde caractéristique :

Toutes nos questions doivent viser le même but, et le succès de notre enseignement doit toujours se mesurer, non pas à la quantité d'information que nous avons communiquée, mais au point jusqu'où nous avons renforcé le jugement et développé les capacités de nos élèves et leur avons inculqué cet esprit d'interrogation et de recherche qui assure bien mieux les acquisitions de l'avenir qu'une abondance quelconque d'information[53].

Le professeur Johnson, de McGill, indiquait deux vices que ses étudiants devaient éviter à tout prix : « l'excès de confiance et la présomption[54] ».

Le catholique Léon Gérin, surnommé parfois « le père de la sociologie canadienne-française », remarquait en 1897 tout l'accent que mettait l'éducation protestante sur l'initiative individuelle, ce qui distinguait l'enseignement protestant, ou anglo-saxon, de celui que dispensaient les écoles primaires canadiennes-françaises :

Les groupes à traditions communautaires développent des attitudes de dépendance, d'apathie civique, de timidité, de routine ; la formation communautaire, ne développant pas le goût du succès personnel, ne pousse que faiblement vers l'instruction. Par contre, les peuples de tradition particulariste développent dans la population un esprit d'entreprise, de hardiesse, de combativité, d'initiative personnelle ; l'instruction apparaît alors comme l'une des conditions de succès dans la vie. Comme ce sont les Saxons qui ont poussé le plus loin cette formation particulariste, il n'est pas étonnant de constater l'intérêt qu'ils ont porté ici comme ailleurs à l'instruction. Les Canadiens français, d'autre part, maintenant de fortes traditions communautaires, ont peu compris ou mal compris la portée de l'instruction populaire[55].

Gérin attribuait les différences entre les deux groupes à la diversité des conditions et des valeurs économiques et sociales. Il est certain, en tout cas, que l'accent mis dans l'éducation protestante sur les ressources, le sens pratique, l'autonomie de l'individu, favorisait le développement de l'esprit d'entreprise, ce qu'encourageaient encore les principes et les besoins d'une économie de liberté d'entreprise.

Mais l'individualisme protestant avait des racines plus profondes encore. Il partait d'une vision de la nature de l'homme et de ses devoirs qui remontait à l'époque de la Réforme et même plus loin encore.

« Savoir, c'est pouvoir, mais c'est pouvoir le mal quand il n'y a pas en même temps une culture des facultés morales[56] », faisait observer Christopher Dunkin, député provincial et membre du Conseil de l'instruction publique, dans un discours devant la P.A.P.T. en 1866. Pour l'époque, c'était presque répéter un lieu commun. C'est qu'on s'accordait pour estimer que l'éducation, dans une grande mesure, était affaire de morale et de religion. Margaret Robertson, de Sherbrooke, parlait ainsi des rapports étroits entre l'enseignement moral et l'enseignement religieux :

> *On ne saurait éveiller en lui (l'enfant) le sens de l'immuabilité du bien et du mal, fondement de toute morale, sans lui apprendre que c'est Dieu qui est le législateur de l'univers. On ne saurait lui inculquer une juste idée de nos rapports réciproques, de nos devoirs, de nos responsabilités s'il ne sait rien de ses rapports avec son Créateur ni de ses obligations envers Lui. C'est seulement après avoir acquis le sentiment de cette responsabilité que l'enfant peut apprendre ce que sont ses plus hauts devoirs envers autrui : l'obéissance aux parents, aux maîtres, aux lois du pays, l'amour du vrai et du beau ; c'est aussi en lui inculquant les préceptes et en lui faisant connaître la vie de l'Unique Parfait Exemple que l'on peut le mieux lui enseigner à haïr la duplicité, l'égoïsme, et la mesquinerie sous toutes ses fomes*[57].

Ces grandes vérités, disait Mlle Robertson, transcendent l'enseignement des Églises, des communions et des sectes. Elle s'en prenait à ceux qui voulaient écarter la religion de l'école par peur du développement d'un esprit sectaire :

> *Ils croient impossible de dissocier enseignement religieux et enseignement de secte. Ils ne voient pas que l'enseignement religieux, dans son acception la plus élevée, est bien distinct, bien au-delà de la simple répétition d'un credo, de la simple exposition du système de croyances d'une foi donnée*[58].

Le principal Dawson, allant plus loin dans le même sens, donnait à entendre que les différences entre les divers *credos* protestants n'étaient que superficielles. Il décrivait ainsi le caractère « chrétien et protestant » de McGill, université non liée à une communion particulière :

> *Elle exerce son influence... de telle manière qu'elle unit les membres des différentes communions dans l'amour et l'harmonie et constitue un exemple pratique de la grande unité qui existe sous les divisions superficielles de notre commun christianisme*[59].

Beaucoup de protestants, mais pas tous cependant, jugeaient que les *credos* n'avaient pas leur place à l'école publique. Pour la Bible, c'était autre chose. Tous considéraient la Bible, non seulement comme la source même, pour les protestants, de la morale et de la foi religieuse mais comme le fondement de la culture occidentale. La connaissance de la Bible constituait pour eux un patrimoine qu'il fallait transmettre aux jeunes générations afin que se conservent les valeurs de la civilisation contemporaine. La présence du Livre saint dans la classe enseignait aux jeunes protestants que la parole de Dieu, révélée dans l'Écriture et que la conscience individuelle interprète sous la direction de l'Esprit Saint, constitue le point d'ancrage ultime des buts et des valeurs de la vie. Aux yeux des protestants, c'était le respect de la conscience individuelle qui différenciait peut-être le plus l'éducation protestante de l'éducation catholique. Celle-ci, à l'école primaire, subissait la forte influence du prêtre. Au-dessus de l'école primaire, l'enseignement observait la synthèse catholique et humaniste qu'était la *ratio studiorum* des jésuites, et comportait au Québec, à l'époque, un élément de conservatisme et d'autoritarisme favorisant le statu quo social, ce qui convenait bien à l'ultramontanisme de l'Église catholique dans la province. Les protestants voyaient dans un tel autoritarisme et dans la soumission d'esprit qu'il exigeait, le contraire même de ce que l'on devait offrir à la jeunesse protestante. Le protestant ne devait obéir, ultimement, à aucune autorité extérieure mais seulement à sa conscience, informée par Dieu parlant dans la Bible.

Il y avait une autre caractéristique unificatrice chez la plupart des protestants du Québec, en 1867, et c'était la *Britishness*, le fait d'être des Britanniques. Le principal Dawson, dans une allocution qu'il fit en 1864 et qui fut par la suite publiée et largement diffusée, réclamait pour la minorité protestante du Québec l'entière liberté de l'éducation parce que, disait-il :

> *C'est, pour la minorité britannique du Bas-Canada, un devoir sacré envers ses ancêtres et envers sa descendance, envers les*

> *principes qu'elle professe, et même envers la population au milieu de laquelle elle vit, que de conserver intactes ses institutions scolaires ; il doit d'ailleurs être évident pour tout esprit réfléchi que si l'élément britannique du Bas-Canada en venait à être réduit à des proportions insignifiantes, et la province à se franciser et se romaniser complètement, ce serait l'échec de la fédération, et les habitants du Bas-Canada seraient de ceux qui auraient le plus gravement à souffrir des conséquences de sa dissolution*[60].

Dans le même discours, Dawson allait jusqu'à soutenir qu'il y avait dans l'éducation catholique un élément politique aussi bien que culturel et religieux faisant en sorte qu'elle n'était « pas favorable à la culture des qualités que nous estimons le plus chez les Anglais[61] ». Il s'en prenait à un manuel des frères des écoles chrétiennes dont on se servait dans les écoles catholiques de langue anglaise. Ce livre, disait-il : « ... passe sous silence l'histoire et les glorieuses traditions de notre mère patrie, mais louange avec effusion la Constitution et les héros des États-Unis, et parle de persécutions dont auraient souffert les catholiques irlandais[62]. » C'est dire que les Irlandais catholiques ne devaient pas être considérés comme véritablement « britanniques » (et les Canadiens français pas du tout), et qu'entre protestantisme et *Britishness* il y avait identité étroite.

Faire appel de la sorte à l'identité britannique de la plupart des protestants du Québec en 1867 était beaucoup plus efficace pour obtenir l'unité d'action que tout ce que l'on aurait pu dire en évoquant des principes plus purement protestants. Cela « parlait » davantage au grand nombre de ceux qui comprenaient mieux leur identité nationale et leur appartenance aux classes économiques moyennes, que l'adhésion de leur conscience aux convictions plus profondes mais aussi plus lointaines de la foi protestante. L'identification des valeurs protestantes et des valeurs britanniques devait donner sa physionomie à l'éducation protestante au Québec pendant les 100 années à venir. Quant aux protestants de langue française, ils n'avaient qu'à assimiler en adoptant les normes culturelles britanniques, ce qui valait aussi pour les immigrants appartenant à des cultures « étrangères ». On établissait une distinction culturelle profonde entre les Canadiens anglais et les Canadiens français ; c'étaient deux mondes différents.

Il subsistait pourtant, visible par moments, au milieu des valeurs affirmées par l'éducation protestante, une pierre de touche qui permettait de transcender l'identification nationale et économique. L'esprit critique, né du refus protestant de ne compter en rien comme divin ce qui n'est qu'humain, faisait obstacle au dogmatisme. Et la disposition à tenter des expériences, corollaire de la conviction protestante qu'aucun esprit humain ne peut posséder l'intégralité de la vérité mais doit au contraire la poursuivre toujours plus avant, tenait ouverte pour l'éducation protestante une porte sur l'avenir.

INTERPRÉTATIONS DIVERSES DE L'ACTE DE L'AMÉRIQUE DU NORD BRITANNIQUE

On a beaucoup discuté ces dernières années de la nature exacte et de la portée des droits ou privilèges que garantit l'A. A. N. B. En 1966, Guy Houle a étudié la question dans les lois du Québec sur l'éducation et dans la jurisprudence invoquant l'article 93 de l'Acte[63] ; il en est arrivé à la conclusion que, sur la base des *Statuts consolidés* de 1861, législation en vigueur à l'époque de la Confédération, on ne peut considérer comme protégés que les seuls droits des écoles primaires dissidentes et ceux des écoles primaires des commissions scolaires de Québec et de Montréal. Toutes les autres écoles, aux yeux de la loi, sont des écoles communes, ou bien n'existaient pas en 1867 et ne sont donc pas visées par les dispositions exceptionnelles de l'Acte. Plus encore, Houle émet l'avis qu'il n'est permis d'en appeler au Gouverneur général en conseil que dans les seuls cas où il s'agit des droits d'écoles primaires dissidentes. Les écoles confessionnelles du genre de celles des commissions scolaires de Québec et de Montréal ne sont pas des écoles de minorités et ne peuvent donc se comparer aux écoles dissidentes du Bas-Canada, non plus qu'aux écoles séparées du Haut-Canada qui leur font parallèle dans l'Acte et jouissent du même droit d'appel. Houle en concluait que le gouvernement du Québec avait toute liberté d'opérer les réformes de structures qu'envisageait, dans le système d'éducation, la Commission Parent, et, par exemple, l'unification des commissions scolaires.

Une étude faite en 1971 par Chevrette, Marx et Tremblay sur la constitutionnalité du projet de loi 2804 et un rapport d'Herbert Marx, remis en 1975[65], au sujet d'un projet de réorganisation des commissions scolaires de l'île de Montréal, on mis en évidence de façon unanime et concluante que les droits spéciaux protégés par la Constitution doivent être considérés dans la perspective de la responsabilité qui incombe à la province en matière d'éducation et viser le bonheur de l'ensemble de la population. Ces études soulignaient en dernier lieu, que le gouvernement du Québec a le droit de déterminer la langue qui doit servir à l'enseignement dans les écoles.

Les protestants anglophones ont proposé des interprétations beaucoup plus libérales et plus amples des dispositions de l'A. A. N. B.

relatives à l'éducation. Le rapport Howard de 1969[66] conclut, après une étude attentive, que la Constitution garantit aux protestants la gestion et la maîtrise de leurs écoles, y compris le choix de la langue de l'enseignement, au niveau primaire et au niveau secondaire. Les organismes qui possèdent ces droits, d'après l'étude en question, sont les commissions scolaires dissidentes, les commissions scolaires confessionnelles et les commissions scolaires créées par des arrêtés en conseil, là où ces dernières remplacent en fait des commissions scolaires dissidentes. Plus récemment, M. T. P. Howard a soutenu[67] que depuis l'adoption, dans les premières années 1970, des projets de loi 27 et 71, qui ont rendu confessionnelles toutes les commissions scolaires de la province, le gouvernement du Québec ne peut plus légalement retirer à une commission scolaire le droit de choisir la langue de son enseignement.

Un appel interjeté en 1975 auprès du Gouverneur général en conseil par l'Association des commissions scolaires protestantes du Québec demandait que la Cour suprême eût à se prononcer au sujet des droits linguistiques des protestants, droits que le projet de loi 22 du Québec aurait violés. Mais cela fut refusé par le Premier ministre du Canada. En 1976, le juge en chef Jules Deschênes, de la Cour supérieure du Québec, s'est prononcé contre un appel analogue de dix commissions scolaires protestantes, déclarant que l'article 93 de l'A. A. N. B. garantissait des droits religieux et non pas linguistiques. Toutefois, des appels récents contre la loi 101 du Québec, qui refuse aux immigrés, y compris les anglophones venus d'autres pays ou d'autres provinces du Canada, le libre choix de la langue de l'enseignement à l'école, ont reçu l'encouragement du gouvernement fédéral.

La portée et la nature exacte de la garantie légale des droits des protestants et des catholiques au Québec sont donc loin d'être claires. Ce que l'on peut affirmer sans conteste, c'est que l'A. A. N. B. accorde à des catégories de personnes définies par leur appartenance à des religions différentes le droit d'avoir des institutions scolaires confessionnelles dissidentes. C'est qu'à l'époque de la Confédération, l'éducation était généralement considérée comme étant, principalement, affaire de morale et de religion. Les écoles étaient chargées de transmettre des valeurs et de former des caractères et, dans un système scolaire démocratique il convenait de tenir compte des principales divisions sur le plan des valeurs.

L'étude de Guy Houle, mentionnée plus tôt, s'arrête aussi sur la définition du terme « protestant » du point de vue juridique. Celui-ci juge fondamentale la décision de 1928 du Conseil privé qui énonce les principes suivants :

> *Le mot « protestant », dans les Statuts consolidés de 1861, ne peut être interprété comme signifiant « non catholique » et donc comme s'étendant aux juifs. Et l'ensemble des protestants, bien que divisé à certaines fins en plusieurs communions, constitue lui-même une communion et peut être considéré comme constituant « une classe de personnes » au sens de l'article 93, paragraphe 1, de l'Acte de 1867*[68].

À l'encontre du jugement de la Cour d'appel du Québec dans la cause Perron (1955), suivant lequel un membre des Témoins de Jéhovah pouvait se dire protestant parce qu'il suffisait, pour être protestant, d'être chrétien et de repousser l'autorité du Pape, Houle invoque le prononcé de la Cour suprême du Canada dans la cause Hirsch (1926), suivant lequel un protestant est « un membre ou un adhérent des communions chrétiennes issues par voie de descendance de la Réforme du XVIe siècle »[69]. Houle en infère que ni les juifs, ni les orthodoxes, ni les Témoins de Jéhovah ne peuvent être considérés comme des protestants, puisque leurs communions religieuses ne sont pas de celles qui se sont séparées de l'Église du Pape au XVIe siècle.

Contre cette définition du protestantisme s'élèveront ceux qui le considèrent comme étant d'abord une disposition d'esprit, ou une orientation culturelle et religieuse générale de la vie, qui transcende les dates précises et les Églises organisées et qui peut avoir des héritiers par filiation spirituelle sans rattachement organique aux Églises qui firent la Réforme au XVIe siècle.

Les protestants du Québec ont préservé avec soin, nous le verrons plus loin de façon détaillée, le principe de la séparation organique de l'école et de l'Église à titre d'institution. L'Acte de l'Amérique du Nord britannique, en parlant des catholiques et des protestants comme de catégories parallèles de personnes, se trouve à masquer l'idée fort différente que les uns et les autres se font des garanties que leur accorde la Constitution, et de ce qu'entraîne pour eux-mêmes l'éducation confessionnelle.

Ce chapitre est tiré du livre *Recherche de la qualité à l'école publique protestante du Québec*, Nathan H. Mair, Comité protestant du Conseil supérieur de l'éducation, traduit de l'anglais, *Quest for Quality in the Protestant Schools of Quebec*, Québec, 1980.

Notes du chapitre 3

---

1. Traduction de Maurice Olliver, *Actes de l'Amérique du Nord britannique et Statuts connexes*, Ottawa, 1962, p. 90-91.
2. Marc-André Bédard, *Les protestants en Nouvelle-France*, Société historique de Québec, 1978.
3. John Knox, *An Historical Journal of the Campaigns in North America for the Years 1757, 1758, 1759 and 1760*, Londres 1769, vol. 11, p. 168.
4. Adam Shortt et Arthur G. Doughty, éd., *Documents relating to the Constitutional History of Canada*, 2e édition, Département des impressions publiques et de la papeterie, Ottawa 1918, p. 72. Cette citation est tirée du *Report on the State of Government in Canada* du général Murray, 5 juin 1762.
5. A.G. Bradley, *Sir Guy Carleton*, University of Toronto Press, 1966, p. 14, 15, 52 et 305.
6. Consultez William Notman et Pennings Taylor, *Portraits of British Americans with Biographical Sketches*, Montréal, 1865-1868, vol. iii.
7. Par exemple, Margaret Assels, *Changing Attitudes of Catholic and Protestant Christians to the State as Reflected in the History of Quebec Education*, thèse de maîtrise inédite, Faculté des études religieuses, université McGill, 1972, p. 100-101.
8. Bradley, p. 288.
9. Amni J. Parker, cité par Douglas Walkington, *The Memoirs of Rev. Amni J. Parker of Danville, Quebec*, allocution, *Canadian Methodist Historical Society*, juin 1978, p. 3.

Ce Parker (1802-1877) était un ministre congrégationaliste qui fit du ministère dans les Cantons de l'Est à partir de 1828. Ses mémoires inédits que l'on trouve dans les archives de la Conférence Montréal-Ottawa de l'Église Unie du Canada, comprennent des observations sur les conditions sociales de la région.

10. Douglas Walkington, *The Memoirs of Rev. Amni J. Parker of Danville, Quebec*, p. 3.

11. (Québec) *The Journal of Education for Lower Canada*, 1864, p. 92. La citation provient d'un condensé, paru dans le *Montreal Herald*, d'un discours fait par le Rév. George 0. Irbing, doyen et recteur du collège Bishop's, à la cérémonie de reprise des cours de cette année-là.

12. Consultez A. Labarrière-Paulé, « L'instituteur laïque canadien-français au XIXe siècle », dans *L'éducation au Québec, XIXe et XXe siècles*, Marcel Lajeunesse, éd., Éditions Boréal Express, Montréal.

13. Ce comité recommanda la création d'un système d'écoles primaires et secondaires gratuites, à divers endroits où cela conviendrait, et d'une université n'enseignant pas la religion.

14. Louis-Philippe Audet, *Le système scolaire de la province de Québec*, Les presses universitaires Laval, Québec, vol. II, p. 170. Aussi : Réal G. Boulianne, *The Royal Institution for the Advancement of Learning : The Correspondence, 1820-1829,* thèse inédite, université McGill, Montréal, 1970, p. 4.

15. Consultez Audet, *Le système scolaire*, vol. III, p. 152-153. L'auteur cite le rapport d'une commission d'enquête sur l'état de l'éducation, commission instituée par la Chambre d'assemblée en 1815.

16. Ibid, p. 190-198, 209, 213 ; Audet vol. iv, p. 387-388 ; Boulianne vol. 1, p. 196-197.

17. Consultez Audet, ibid, p. 217 : citation d'un rapport du Rév. J.L. Mills, secrétaire de l'Institution royale, dans lequel Mills convient sans plaisir qu'il vaudrait mieux partager la responsabilité, mais ajoute (en traduction) : « Il doit être évident, néanmoins, au premier abord, que ce plan même, s'il était possible, est sujet à de nombreuses et sérieuses objections, dont la principale est une tendance à séparer davantage et d'une manière plus permanente, les membres catholiques de la société d'avec les protestants, séparation qui ne peut être trop évitée par ceux qui pensent comme doivent penser ceux qui ont la même espérance dans le ciel et qui sont sujets du même monarque sur la terre. »

18. Ibid, p. 166. Dans une liste de syndics proposée en 1816 figurait le nom d'Alexander Spark, de l'Église d'Écosse.

19. Consultez dans Boulianne, aux pages 275, 432, 460, 740, 775, 795 et 834 des exemples de ces diverses doléances.

20. Consultez Hunte, *The Development of the System of Education in Canada East, 1841-1867*, thèse de maîtrise inédite, Département d'histoire de l'université McGill, 1962, p. 53. Hunt cite le passage suivant du Rapport Gosford (rapport de la Commission royale d'enquête sur l'état du Bas-Canada, Québec 1837), p. 69 : « ... un système d'éducation fondé sur le principe authentiquement chrétien de la tolérance et de la charité générale ne serait pas impossible à réaliser... la meilleure chance pour qu'il soit réalisé viendrait peut-être de ce que nous cessions de nous en occuper, au lieu de vouloir le prescrire à ceux qui devront travailler à le mettre sur pied. » Hunte se demande s'il y a là, de la part de la Commission, une marque de faiblesse ou de sagesse.

21. On a d'autres indications de l'influence de Lancaster sur l'éducation au Québec.

(1) Son ouvrage intitulé : *Improvements in Education* fut joint en appendice au rapport de 1815 de la commission d'enquête créée par la Chambre d'assemblée du Bas-Canada. D'après Audet, la Chambre distribua 1 500 exemplaires de ce rapport, y

compris un extrait du Livre de Lancaster, en français et en anglais (Audet, p. 154-155).

(2) Lancaster séjourna à Montréal en 1829 ; il y dirigea une école et y fit la promotion de sa méthode. On trouvera une lettre de Lancaster au *superintendent* et aux enseignants de l'*American Presbyterian Sabbath School*, écrite pendant son séjour, dans David Knowles, *The American Presbyterian Church of Montrea*l, p. 271-272. Consultez la note suivante.

22. David Knowles, *The American Presbyterian Church of Montreal 1822-1866*, thèse de maîtrise inédite, université McGill, Montréal 1957, p. 228, 271, 272.

23. Keith D. Hunte, *The Development of the System of Education in Canada East, 1841-1867*, p. 103. Hunte emprunte cette expression à un rapport de la *Newfoundland and British North-American Society for Educating the Poor*.

24. Sir Charles P. Lucas, *Lord Durham's Report on the Affairs of British North America*, Oxford : Clarendon Press, 1912, vol. 1, p. 239.

25. Hunte, *The Development of the System of Education in Canada East*, p.66.

26. Ibid, p.68, citation de Mondelet, *Letters on Elementary and Practical Education*, Montréal 1841, lettre no 4, p. 13.

27. Canada, *Journals of the Legislative Assembly of the Province of Canada*, vol. 1, 1841 (publiés sur l'ordre de l'Assemblée législative, 1842) p. 35, 69-70, etc. La citation provient d'une pétition d'anglicans de Saint-Armand-Ouest, Canada-Est, protestant contre l'idée d'un recueil d'extraits de la Bible : « La Parole de Dieu serait abrégée et mutilée, et les choix imparfaits d'hommes non inspirés seraient substitués à la parole inspirée venant du Tout-Puissant. » La pétition recommande que la Bible « soit reconnue comme le livre scolaire universellement employé pour l'enseignement à toutes les écoles publiques où des enfants protestants recevront leur instruction ; mais on pourra le mettre entre les mains de tous ces écoliers dans son texte intégral, non abrégé, sans qu'aucune partie leur en soit soustraite. »

28. 9 Victoria. c. 27, s. 26.

29. Le mot *denominational* (en français, d'ordinaire signifie « confessionnel ») est ambigu lorsqu'il est appliqué à l'éducation au Québec. L'usage populaire chez les protestants se fait en parlant des divers corps ecclésiastiques organisés : anglicans, presbytériens, catholiques romains, etc., qui adhèrent à des credos particuliers. Or la législation scolaire regroupe en un seul bloc tous les protestants, qui dès lors, du point de vue scolaire, composent une *dénomination* et ont ensemble des écoles qui sont *denominational*. C'est dire qu'il y a lieu d'établir une distinction entre les écoles *denominational* des protestants au Québec et les écoles *denominational* qui existent ailleurs au Canada.

30. W.C. McCullough fait observer, dans une lettre en date du 2 août 1979, que les « premières municipalités scolaires furent créées par proclamation au début des années 1840 et qu'elles étaient communes. Les années passant, il se produisit des divisions tant chez les catholiques que chez les protestants et il fut établi des commissions scolaires dites, "dissidentes", dont certaines subsistèrent jusqu'à l'époque du projet de loi 27 (1971). Il en existe encore six, trois catholiques et trois protestantes. La "loi 27" a regroupé et constitué en commissions scolaires pour protestants toutes les commissions scolaires "protestantes" qui étaient véritablement communes et celles qui n'avaient été créées qu'à l'intention d'écoles protestantes, à l'exception de celles de l'île de Montréal. C'est la loi 71 qui a regroupé les commissions scolaires de l'île de Montréal pour les protestants en deux commissions scolaires seulement. Il en résulte que, pour la première fois, il existe une commission scolaire protestante dont la juridiction s'étend au territoire entier du Québec, sauf l'extrême Nord et le Labrador québécois. »

31. Ibid, p. 125, citation d'un discours de Robert Baldwin en réponse à Sherwood,

reproduit dans le *Mirror of Parliament*, Chambre d'assemblée du Canada, 4 juin 1846, consultez Hunte, p. 125.

32. Ibid, p. 129.

33. En 1864, on faisait état de 48 écoles dissidentes catholiques et de 134 protestantes, sur 3 604 écoles, en tout, dans le Bas-Canada. Consultez le Rapport du surintendant de l'instruction publique, 1864. (Québec : Assemblée législative, 1865) p. xvii, xiv.

34. Des subventions avaient été accordées auparavant, par décision législative, sur demande et cas par cas.

35. Consultez Hunte, p. 186 et 187, qui se réfère à un texte du *Mirror of Parliament* du 18 avril 1856. R.B. Somerville et Alexander Galt présentèrent un amendement au projet de loi sur l'éducation de cette année-là, qui eût accru les pouvoirs des commissaires d'écoles et restreint ceux du surintendant de l'instruction publique. Ils demandaient aussi l'abrogration de la loi de 1851, qui avait créé un corps d'inspecteurs des écoles. Cependant George Brown, dans le Canada-Ouest, préparait un projet d' « éducation sur une large base nationale » et il n'y eut au Canada-Ouest que bien peu de voix pour appuyer la proposition des protestants du Canada-Est. L'amendement fut repoussé.

36. Les catholiques anglophones allaient à l'école normale de Jacques-Cartier où il fut peut-être question de faire un certain usage de l'anglais comme langue d'enseignement. Consultez le discours du professeur Delaney à l'inauguration de l'école normale Jacques-Cartier, compte rendu du *Journal of Education*, 1856, p. 30-40.

37. Consultez, par exemple, J. William Dawson, *Proceedings of the Inauguration of the William Molson Hall, McGill University*, Montréal, 1862, p. 37.

38. *Journal of Education*, 1957, p. 42.

39. Consultez J. William Dawson, *On Some Points in the History and Prospects of Protestant Education in Lower Canada*, conférence du principal Dawson devant l'*Association of Teachers* au sujet de l'école normale de McGill, Montréal 1864 (édition privée).

40. *« A Petition of the P.A.P.T., 1866 »*, *The Teachers Magazine*, 30 mars 1964, p. 23.

41. Consultez Keith Hunte, *The Ministry of Public Instruction in Quebec, 1867-1875* (thèse de doctorat, inédite, université McGill, Montréal, 1964). D'après Hunte, les évêques catholiques du Québec estimaient que les protestants avaient été avantagés par la loi de 1869 sur l'instruction publique et que les principes de l'enseignement catholiques n'étaient pas suffisamment protégés par cette loi. Ils craignaient qu'un ministère de l'Instruction publique donnant à l'État l'autorité ultime en matière d'éducation n'ouvrît la porte au laïcisme et à l' « infidélité ». Pour faire contrepoids, les évêques interprétaient la doctrine catholique à cet égard comme supposant le droit, pour les évêques, non seulement d'exercer une « influence » sur les écoles catholiques, mais d'avoir le contrôle effectif de celles-ci.

42. L'influence de Galt s'exerçait alors à l'échelon fédéral plus qu'à l'échelon provincial. Il fit cependant campagne contre la loi de 1875 parce que, selon lui, elle menaçait les libertés civiques au Québec en légalisant l'alliance de la hiérarchie catholique et du gouvernement de la province.

43. Hunte, ibid, p. 321, citation d'un discours de Williams à la *Quebec Protestant Teachers Association*, selon un compte rendu du *Journal of Education*, 1875, p. 153.

44. Ibid, p. 360. Consultez aussi la *Montreal Gazette*, 11 décembre 1875.

45. Consultez Guy Houle, *Le cadre juridique de l'administration scolaire locale au Québec*. Annexe au rapport de la Commission royale d'enquête sur l'enseignement dans la Province de Québec (Québec : Imprimeur de la Reine, 1966) p. 130 et seq. Houle soutient qu'en dépit de la terminologie employée, ces écoles étaient légalement

« communes », relevant des commissaires plutôt que des syndics.

46. Parmi les anglicans faisant partie du Conseil de l'instruction publique, et par conséquent du Comité protestant soit non officiel, soit officiel (après 1875), figuraient Francis Fulford, évêque de Montréal, James Williams, évêque de Québec, et le chanoine Leach. Henry H. Miles fut secrétaire anglais, au ministère de l'Éducation, de 1867 à 1881. Il fut suivi du révérend E. I. Rexford, de 1882 à 1891. L'évêque Williams présida le Comité protestant de 1880 à 1892 ; son successeur fut R. W. Heneker, chancelier de Bishop's et éminent laïc anglican. D'autres anglicans, tant laïcs que du clergé, occupèrent aussi ces fonctions avant 1900. Les non-anglicans furent représentés par le révérend John Cook, principal du collège Morrin de Québec, et par J. William Dawson, tous deux presbytériens ; par le sénateur James Ferrier et le principal W. I. Shaw, méthodistes ; et par J. S. Sanborn, Christopher Dunkin et George Cornish, congrégationalistes.

47. Consultez la note 21.

48. *Journal of Education*, 1864, p. 93. La citation est tirée du résumé, paru dans le *Montreal Herald*, d'un discours du gouverneur Lord Monck. Ce discours était conforme aux arguments traditionnels en faveur de l'enseignement classique ; on peut croire qu'il répondait aux vœux des « classicistes » de Bishop's.

49. Ibid, 1866, p. 62.

50. Ibid, 1865, p. 10.

51. Ibid, p. 9.

52. Ibid, 1865, p. 138.

53. Ibid, 1865, p. 75.

54. Ibid, p. 69.

55. Guy Rocher, « La sociologie de l'éducation dans l'œuvre de Léon Gérin », *École et société*, éd. P. Bélanger et Guy Rocher, Éditions H.M.H. Ltée, Montréal 1970, p. 39.

56. *Journal of Education*, 1866, p. 133.

57. Ibid, 1865, p. 22.

58. Ibid.

59. Dawson, *Inauguration of Molson Hall*, p. 37.

60. Dawson, *History and Prospects of Protestant Education*, p. 13.

61. Ibid, p. 10.

62. Ibid, p. 11.

63. Houle : consultez la note 45.

64. François Chevrette, Herbert Marx et André Tremblay, *Les problèmes constitutionnels posés par la restructuration scolaire et l'île de Montréal*, étude réalisée sous les auspices du Centre de recherche en droit public de l'Université de Montréal, Éditeur officiel du Québec, sans date.

65. *The Canadian Constitution and Reorganisation*, résumé d'une opinion juridique de Herbert Marx, *Unisson*, vol. iv, no. 1, décembre 1975, Conseil scolaire de l'île de Montréal.

66. Bureau des écoles protestantes du Grand Montréal, *Report of the Legal Committee on Constitutional Rights in the Field of Education in Quebec*, 1969. Ce rapport fut signé par T.P. Howard, Jean Martineau, Frank R. Scott et Peter M. Laing.

67. *The Montreal Gazette*, 12 février 1979. Consultez la lettre du lecteur signée T.P. Howard, p. 7.

68. Houle, p. 161, citation d'un passage du jugement rendu par le Conseil privé dans la cause Hirsch contre le *Protestant Board of School Commissioners of Montreal* (1928, C.A., p. 200, page 213).

69. Ibid, (1926, C.L.R., p. 246, page 255).

CHAPITRE 4

PROTESTANTISME AU QUÉBEC DEPUIS 1960

Glenn Smith

Bien gardée dans les annales du Québec se trouve la fascinante mais très peu connue histoire de la croissance, de la mort et, depuis peu, du retour soudain à la vie des Églises protestantes parmi les anglophones, les francophones et les groupes ethniques d'ici. Après un court survol de l'histoire du mouvement, en s'arrêtant aux stades de son évolution, nous nous pencherons sur sa situation présente et les raisons principales de cette récente croissance.

Introduction

Le caractère distinctif du protestantisme francophone au Québec se traduit par la présence de la tradition évangélique. Le mouvement, bien qu'il n'ait pas de définition précise et universellement acceptée, réunit des Églises qui se définissent selon les quatre caractéristiques suivantes[1] :

1. Elles mettent un accent sur la nouvelle naissance en tant qu'expérience révolutionnaire que l'on appelle « conversion » ou par l'expression « être né de nouveau » ;
2. Elles ont un souci pour la mission, que l'on reconnaît principalement par le partage de sa foi ;
3. Elles se fient aux Écritures comme étant la source de connaissance du Créateur et le guide de la vie chrétienne ;
4. Elles sont centrées sur la vie, la mort et la résurrection de Jésus-Christ, Sauveur et Seigneur.

À cette liste, il faudrait aussi ajouter le rôle du Saint-Esprit et l'importance de l'Église locale. Comme bien d'autres l'ont souligné, même si l'on associe souvent les évangéliques avec certains mouvements protestants comme l'Alliance chrétienne et missionnaire, les Assemblées de la Pentecôte ou l'Association des Églises baptistes évangéliques, les évangéliques se trouvent aussi au sein de confessions protestantes dites traditionnelles et parmi les paroisses catholiques romaines. Ce dernier constat existe autant parmi les francophones que les allophones du Québec[2].

Qui ont été les premiers protestants au Québec ?

Ces annales de l'histoire du Québec racontent le récit de gens appelés huguenots, qui formèrent la première communauté protestante au Canada.

Au moment de l'arrivée, au XVIIe siècle, de la première vague d'immigration, huit cents huguenots débarquèrent en Nouvelle-France. On y comptait des marchands, des marins et des soldats. Ceux-ci, urbains, provenaient de la ville de La Rochelle en France. Entrepreneurs, ils contribuèrent à l'essor et au bon climat économique qui régna durant les soixante premières années de la colonie. Poussés par un esprit d'entreprise et d'initiative ainsi que par leur ardent désir de fonder une colonie loyale à la France, ils ont grandement contribué à l'établissement du Québec et du Canada francophone. La Nouvelle-France a donc, dès ses débuts, compté sur la collaboration des protestants.

Toutefois, deux ouvrages significatifs sur l'histoire du Québec, rédigés au cours de la dernière décennie, ne font aucunement mention d'eux. Or, un auteur a tenu à expliquer :

> *Ceci est un autre exemple du concept, en histoire, de la majorité qui concentre son attention sur les événements principaux ou les faits notables dont l'existence se vérifie facilement, pour ainsi en négliger d'autres comme les groupes minoritaires ou les mouvements*[3].

Leur présence et leur intégration à la société de la Nouvelle-France résultaient des réformes protestante et catholique romaine qui avaient balayé la France après 1550. En effet, un renouveau spirituel s'en suivit, amenant des initiatives audacieuses comme celles de pouvoir adorer en toute liberté, de poursuivre une mission dans le Nouveau Monde et de fonder des colonies loyales à la France. De 1540 à 1630, sept des gouverneurs de la colonie furent des huguenots.

Les documents officiels témoignant de la fondation de la ville de Montréal reflètent le mieux l'évidence du caractère protestant de la jeune colonie. En 1627, comme la charte de la « compagnie des Cent Associés » le montrait, la colonie a été officiellement consacrée à faire la promotion de la foi catholique. Jusqu'alors la Réforme en Europe avait poussé des hommes et des femmes à explorer le Nouveau Monde dans le but d'instruire les autochtones (communément appelés sauvages) « dans l'amour et la crainte de Dieu, dans la foi en Dieu et la doctrine chrétienne ». On ne pouvait pas lire d'adjectifs supplémentaires (comme la foi réformée ou la foi catholique romaine). Cet esprit encouragea donc une forte présence huguenote en Nouvelle-France.

En 1640, la Société de Notre-Dame de Montréal voyait le jour. Cinquante personnes arrivèrent en 1642, avec Paul Chomedey de Maisonneuve, près du site du village indien d'Hochelaga pour y établir la nouvelle ville de Montréal. Ils détenaient le document : *Les Véritables Motifs de Messieurs et Dames de la Société de Notre-Dame de Montréal*. Le préambule du document en question souligne la doctrine de la Réforme protestante ; un mouvement laïc engagé face aux Écritures proclamera l'essence de cette même doctrine, c'est-à-dire la grâce de Dieu par la foi. Leur philosophie de l'ecclésiologie se démarquait des structures hiérarchiques qui avaient animé le Québec du XVIIIe au XXe siècle[4].

Cet esprit de collaboration, par contre, a changé au cours des années et l'influence huguenote, pour plusieurs raisons, a vite décliné. Premièrement, les huguenots n'ont jamais vraiment réussi à s'organiser dans la nouvelle colonie. En comparaison avec l'Église catholique romaine qui a su rallier ses troupes et en retirer une force de frappe, les protestants, pour leur part, étaient trop dispersés pour vraiment bénéficier de quelque avantage dû à leur nombre. Deuxièmement, ils ont subi l'intolérance de la communauté, même s'ils avaient le droit d'y demeurer. Avec le temps, on empêcha de plus en plus le baptême huguenot des enfants, l'éducation huguenote, les cérémonies de mariage civil huguenotes et les services d'adoration non reconnus, privant ainsi les protestants français de leurs institutions vitales. Troisièmement, en 1659, François de Montmorency-Laval s'installait en Nouvelle-France à titre de premier évêque. Envoyé par la mission des jésuites de cette époque, il s'investit à ramener l'Église à ses racines romaines. Au cours de sa première messe, il exclut du service un huguenot présent. Il a, de plus, demandé à maintes reprises au gouvernement français d'arrêter d'envoyer des protestants en Nouvelle-France dans le but de respecter l'accord qui avait été signé avec la compagnie des Cent Associés. Quatrièmement, en 1685, lorsque l'Édit de Nantes a été révoqué en France, les protestants français se sont vite éclipsés. D'ailleurs, à l'époque de la Conquête britannique (1763), on trouvait peu de traces de leur existence.

Puisque ces huguenots se sont davantage intéressés au commerce qu'à l'établissement de la colonie, nous pouvons, à partir de là, entrevoir chez eux certaines pratiques théologiques. Rarement avaient-ils réagi aux décisions politiques prises contre eux. Plusieurs d'entre eux se sont accommodés plutôt, devenant des pratiquants de la foi catholique romaine ou simplement des catholiques de nom. De plus, des groupes discrets se sont formés et plusieurs huguenots ont fuit vers la Nouvelle-Angleterre pour jouir de la liberté religieuse.

Il serait exagéré de considérer cette première présence huguenote comme l'émergence d'une Église soutenue ou d'une véritable mission protestante. Le manque de continuité et l'action transformatrice démontrent que la première vague de huguenots échoués au Québec provenait d'une initiative économique. Ils ont terriblement souffert des restrictions mises en vigueur après 1627, et plus particulièrement, après que les protestants eurent été exilés de la France en 1685. On devra attendre 1840 avant de voir une reprise de la présence ecclésiastique des protestants au Québec, présence qui cette fois, sera ininterrompue.

Les vagues subséquentes du mouvement protestant francophone au Québec sont étroitement liées aux convulsions politiques qui ont marqué la vie de cette province depuis les 150 dernières années. Après la disparition des huguenots français au milieu du XVIIe siècle, il faudra attendre l'an 1835 avant de constater la présence et la croissance des protestants au Québec.

La Conquête au lieu de l'établissement d'une Église protestante francophone a plutôt amené l'Église catholique à s'affermir. Le gouvernement britannique anglais ne pouvait pas imposer une religion tout en maintenant de bonnes relations avec le peuple, relations nécessaires pour empêcher une alliance avec les colonies américaines. Comment convaincre le peuple d'abandonner leur foi et leur langue ? L'option d'une foi protestante et francophone était un mélange trop difficile à concevoir pour le gouvernement. De plus en plus, les gouverneurs (même Lord Durham) tendaient à respecter la foi catholique et évitaient d'agacer les évêques.

En 1830, un réveil se déclara à Lausanne, en Suisse, occasionnant la formation d'une société missionnaire. Cette dernière envoya des missionnaires dans la région de Montréal. Isaac Cloux, Henri Olivier, Henriette Feller et Louis Roussy débutèrent les efforts de cette société au Québec. À cette époque, peu d'information circulait quant au nombre ou à la grandeur des Églises protestantes françaises. L'Église anglicane avait abandonné la mission parmi les francophones après le décès de trois de ses curés au tournant du siècle. Il se peut que le rapport de la Société biblique britannique et étrangère traduisait le mieux l'état, à ce moment, du protestantisme français. Le rapport disait :

> *Il a été impossible de trouver des hommes parmi les Canadiens de langue française, capables de remplir les fonctions ecclésiastiques ; cette classe sociale est de condition pauvre... en matière d'éducation et de religion*[5].

Dieu s'est donc servi d'une femme !

La plupart des efforts de Mme Henriette Feller se vouaient à l'éducation des jeunes. Le clergé de l'époque s'opposait tellement à l'éducation qu'il appelait « hérétique », qu'il a publiquement ridiculisé les efforts de Mme Feller et ceux de la société missionnaire. Toutefois, Feller et Roussy dédiaient la majeure partie de leur temps à l'éducation. Feller avait déclaré que l'évangélisation des Canadiens français devait commencer à l'école. Hardy a résumé ces efforts en disant :

Dans sa lutte contre l'ignorance, le protestantisme français au Canada a compris que l'éducation de la jeunesse devait aller de pair avec l'élévation morale et spirituelle des parents. Le but des missionnaires français n'était pas tellement de transmettre des connaissances mais plutôt d'amener l'enfant à une meilleure position que ses aînés pour saisir la Vérité[6].

Leur plus grand succès viendra après la défaite des Canadiens français contre les Britanniques, au moment de la Rébellion du Bas-Canada de 1837. Feller et Roussy, forcés de quitter leur maison en novembre de cette même année, ont séjourné à Champlain, New York, durant l'hiver. À leur retour dans leurs foyers avilis, ils ont refusé d'intenter une poursuite contre les patriotes français et ont plutôt utilisé l'argent envoyé de la Suisse pour nourrir et prendre soin des pauvres qui avaient été laissés pour compte après l'insurrection. Perçus jusque-là comme faisant partie de l'administration britannique qui cherchait à priver les Canadiens français de leur religion et de leur moralité, les missionnaires, grâce à cette nouvelle approche, changèrent bien des mentalités. Le 4 mai 1838, Feller écrivait :

Dans l'ensemble, je crois que l'esprit de la collectivité a tellement changé à notre égard qu'il n'y a pas une maison dans laquelle je ne peux pas entrer. Les gens nous manifestent autant de respect et de confiance maintenant qu'ils en ont manqué dans le passé[7].

La réaction fut positive. En l'espace de 40 ans, une nouvelle société missionnaire, la Société missionnaire canadienne-française, comptait huit Églises, 400 membres et plus de 1 000 adhérents. Peu de temps après, les méthodistes et les presbytériens commencèrent leurs activités missionnaires. En 1847, les anglicans, pour leur part, redémarrèrent leur initiative parmi les francophones. Après l'époque des huguenots, on observa à cette date un changement marquant dans l'histoire du protestantisme français.

Le converti protestant français était isolé de toute sa famille, de son travail, de son école et donc de sa langue et de sa culture. Peu ont voulu payer ce prix. Néanmoins les évangélistes suisses et français ont été remplacés en grande partie par des Canadiens français vers 1880. La conversion, en 1858, de Charles Chiniquy[8], renommé prêtre catholique francophone, a généré une certaine confiance et un nombre limité de convertis. Comme champion d'une petite bande d'opprimés et sujette à la propagande constante, Chiniquy était indispensable. Les évangéliques anglophones se sont servis de lui dans le monde – en personne ou par des écrits – pour stimuler les missions parmi les catholiques. Au Québec, le résultat de ces efforts a donné lieu à une force ultramontaine accrue[9]. Après la mort de Chiniquy, la visibilité de la communauté protestante francophone était nulle.

Plusieurs des dirigeants protestants anglophones et tous les anglophones inactifs de l'Église voulaient éviter un conflit avec les catholiques. Au lieu de mettre l'accent sur la mission canadienne-française au Québec, on l'a mis sur la mission outre-mer et on a favorisé une théologie plus libérale (contre le « prosélytisme » chez les catholiques) dans les facultés de théologie protestantes. Du temps de la Première Guerre mondiale, l'influence des évangéliques avait énormément diminué. La mission française avait donc perdu sa raison d'être et l'appui nécessaire pour se garder en vie. Au Québec, l'absence d'établissements scolaires pour protestants francophones s'est avérée le coup de grâce pour la petite communauté. L'assimilation s'est produite rapidement par des écoles protestantes anglophones (même les quelques écoles francophones privées sont devenues bilingues) et des assemblées souvent bilingues. La persécution, l'emprise des catholiques sur la formation et les professions francophones, ajoutées aux mariages mixtes ont également contribué à la chute du nombre d'évangéliques francophones. Plusieurs des plus talentueux protestants français ont quitté la province. Le reste s'anglicisait ici.

Toutes les Églises protestantes ont souffert. Même la création de l'Église unie en 1925, qui regroupait les deux tiers des assemblées francophones protestantes, n'a pas su stimuler une quelconque croissance. Toutes les Églises ont perdu par conséquent l'essor qu'elles avaient connu et sont devenues alors dépendantes sur l'extérieur pour leur survie économique. De plus, elles n'avaient aucune ressource pour entreprendre la formation locale de leurs membres, se confiant pour cette tâche à des pasteurs européens ou anglophones. À l'exception de quelques pasteurs exceptionnels de l'Église unie, anglicane, presbytérienne et des baptistes de la Grande Ligne, la plupart ont remplacé leur vision d'évangélisation par le but de conserver les acquis.

À partir de 1926, de nouveaux groupes ont évangélisé les Canadiens français. Les frères chrétiens (depuis 1927) et l'Association baptiste (vers 1950) ont choisi le Québec comme champ de mission tandis que les pentecôtistes (depuis 1920) ont utilisé leurs assemblées anglophones comme tremplin à leur mission francophone[10]. Avec une vision nettement évangélique, et non fondamentaliste (à l'opposé des messages mixtes des anciennes confessions) ces trois groupes ont progressé tranquillement dans les villes et ont établi l'Institut biblique Bérée (pentecôtiste 1941) et l'Institut biblique Béthel (frères et l'Alliance chrétienne et missionnaire 1948) pour former leurs dirigeants. Ils ont souffert de la persécution de cette société fermée. Mais, des incidents comme ceux du Lac St-Jean en 1933[11], de Shawinigan en 1950[12] et de l'Abitibi aux étés de 1950-1953[13] ont inspiré plusieurs anglophones. Un tel refus d'accorder la liberté religieuse nécessitait une réponse imminente de la part des évangéliques. Les évangéliques ont donc contribué du temps ainsi que de l'argent. Ils ont même été jusqu'à créer des ministères conçus uniquement pour l'œuvre parmi les francophones québécois. Les mennonites, l'Alliance chrétienne et missionnaire et d'autres groupes ont envoyé des missionnaires dans les années 1950, bien avant la Révolution tranquille.

À l'automne de 1935, J. Edwin Orr, un grand historien de l'Église, entreprit un voyage de plus de 5 000 kilomètres qui le mènerait d'un bout à l'autre du Canada. Venu d'Angleterre, ses discours invitaient les gens à la prière et au renouveau. Il anticipait ce qu'il allait découvrir dans les églises, mais déçu, il quitta le Canada, profondément gêné du matérialisme du peuple et du manque de prière de l'Église.

Il a parlé de Montréal comme d'*une ville très perverse.*

> *À Montréal, la situation sur le plan spirituel est tragique... Le ministère protestant entreprend très peu pour faire connaître le Seigneur... La rareté des réunions de prière témoigne d'une grande tragédie. La pauvreté spirituelle qui s'ensuit fait partie d'un cercle vicieux : manque de prière, donc manque de puissance, donc indifférence et donc mondanité*[14].

Un projet protestant conçu pour les années 1960

Les tableaux suivants illustrent bien la croissance de l'Église entre les années 1950 et 1997[15]. Wesley Peach[16] et Donald Lewis[17] ont effectué des études exhaustives en plus de bien documenter cette croissance.

Les Églises protestantes francophones au Québec

	1950	1960	1970	1975	1980	1984	1986	1993	1997
Alliance Chrét & Miss	–	2	5	7	10	11	9	10	8
Armée du Salut	–	–	–	1	1	1	5	7	10
Ass. de la P. du QC	5	10	19	40	80	100	2	–	86
Conf. française PAOC	–	–	–	–	–	–	37	49	–
Ministère franc. PAOC	–	–	–	–	–	–	42	49	–
Assemblées des frères	6	16	20	28	37	46	50	47	44
Ass. C. La Bible Parle	–	–	–	–	–	1	1	1	5
Ass. de Dieu Indép.	–	2	4	6	6	10	9	–	16
Ass. d'Ég. bapt.	5	18	21	27	37	48	55	63	60
Ass. d'Ég. évang.	2	2	3	4	5	6	10	14	7
Ass. gén. d'Ég. bapt.	–	–	–	–	–	–	–	–	1
Ég. Presby. du C.	25	3	3	4	5	6	10	14	7
Ég. Réformée	–	–	1	2	3	3	4	7	6
Église anglicane (épis.)	–	–	1	1	2	2	2	20	2
Ég. bapt. indép.	–	–	–	2	6	8	13	7	6
Église de Dieu	–	–	–	–	–	–	11	6	2
Ég. des frères menno.	–	–	3	4	6	12	12	9	8
Ég. du Nazaréen	–	–	1	3	7	7	3	6	6
Ég. év. libre	–	1	2	3	4	4	4	5	4
Ég. Italienne de Pent.	–	–	–	–	–	–	2	5	5
Ég. Luthérienne	–	–	–	1	2	2	1	1	3
Ég. méthodiste libre	–	–	–	–	1	3	5	3	2
Ég. mennonite	–	2	2	2	2	2	2	3	3
Ég. missionnaire	–	–	–	–	–	–	2	2	2
Ég. missionnaire bapt.	–	–	–	–	–	–	–	1	2
Ég. mis. bapt. Landmark	–	–	1	3	6	13	5	–	–
Ég. Unie du Canada	9	10	8	8	9	10	12	8	8
Ég. Vie et Réveil	–	–	1	2	3	4	1	1	1
Ég. Wesleyenne	–	–	–	–	2	2	2	1	1
Élim Fellowship	–	–	–	–	–	–	–	4	10
Féd. des Ég. Cen. Inst.	–	–	–	–	–	–	2	1	2
Mission bapt. Internat.	–	–	–	–	–	–	1	1	1
Non identifiées	2	2	2	2	2	2	2	36	22
Union Chrét. biblique	13	9	7	8	13	16	18	22	22
Union d'Ég. bapt.	1	2	8	15	16	17	19	24	19

Source : Rapport annuel, Direction Chrétienne inc.

Les Églises protestantes anglophones au Québec

	1950	1960	1970	1975	1980	1984	1986	1997
Anglican Chruch	280	275	257	246	234	231	256	202
Apostolic Church	–	–	1	1	2	2	1	3
Assemblies of God	–	1	1	1	2	2	–	–
Associated Gospel Ch.	3	3	3	3	4	5	5	6
Ass. of Regular Baptist Ch.	–	–	–	–	–	–	–	1
Baptist Convention of Ontario & Quebec	21	20	20	20	19	19	18	15
Brethren Assemblies	14	14	14	14	14	14	14	12
Christian & Missionary Alliance	1	1	1	1	1	1	1	2
Christian Reformed	1	1	1	1	1	1	1	1
Church of the Nazarene	–	1	2	3	3	3	3	4
Fellowship of Evang. Baptist Church	2	3	4	5	6	15	10	14
Free Methodist Church	2	2	2	2	2	2	2	2
Independant Baptist C.	–	–	–	–	–	1	1	–
Lutheran Church	10	10	13	13	13	12	14	9
Mennonite Brethren C.	–	–	–	–	–	1	1	–
Mennonite Church	–	–	–	1	1	1	1	1
Missionary Church Canada Est	–	–	–	–	–	–	1	1
Pentecostal Ass. of C.	5	6	7	8	10	10	10	20
United Pentecostal C.	–	–	–	–	–	–	3	1
Presbyterian Church	60	60	59	57	53	54	42	36
Salvation Army	5	5	6	6	7	7	8	5
Unidentified or Ind.	–	–	–	–	–	–	–	7
United Church of C.	240	250	225	220	210	205	210	164
Wesleyan Church	–	1	2	3	4	4	4	1

Les mouvements protestant et évangélique au Québec remontent à la période suivant la Première Guerre mondiale. L'Union des Églises baptistes françaises au Canada, originant du travail de Madame Feller et de la mission de la Grande Ligne, demeure la seule confession du XIXe siècle à avoir expérimenté un renouveau significatif. Affiliée à la Fédération baptiste canadienne, elle compte 24 Églises incluant 1 200 membres et adhérents. Bien que la confession ait connu un ralentissement de croissance vers la fin de la Deuxième Guerre mondiale, comme toutes les confessions francophones, un regain de vie persista dans les années 1960 et 1970, alors que le climat social provoquait des remises en question dans la population. De six Églises en 1963, l'Union en comptait seize en 1980.

Les trois plus grandes confessions en 1994, les Assemblées de la Pentecôte, l'Association des Églises baptistes évangéliques et l'Église des Frères originent aussi de la même période, mais ont connu leur plus grande croissance dans les années 1960.

Les Assemblées de la Pentecôte du district de l'Est de l'Ontario et du Québec ont œuvré longtemps du côté anglophone à Montréal. En 1921, la mission parmi les francophones a débuté et dès 1941, la première école biblique de langue française (l'Institut biblique Bérée) ouvrait ses portes. Même si leur croissance accusait une incroyable lenteur, les ouvriers fidèles ne lâchèrent pas prise. En 1970, on comptait 19 congrégations. En 1974, une différence d'opinion sur une question de stratégie provoqua la division de la confession au plan de son administration. En 1997, la même confession compte 93 congrégations incluant 9 000 personnes qui assistent aux cultes hebdomadairement sous la bannière des deux entités, en plus d'avoir une deuxième école théologique à Québec (le Collège biblique du Québec).

L'Association des Églises baptistes évangéliques (*Fellowship Baptist*) a débuté sa mission au Québec dans les années 1950. Bon nombre de pasteurs baptistes ont été emprisonnés dans ces années, pour avoir fait de l'évangélisation de porte en porte et de l'implantation d'Églises. En 1973, l'Association instituait une école d'éducation théologique par extension (SEMBEQ) et dès 1980, elle possédait 31 congrégations. Aujourd'hui, elle en possède 70 avec quelque 7 000 adhérents.

L'Église des Frères, en regardant le chemin parcouru, reconnaît la richesse de son histoire au Québec. La première assemblée fit son apparition en 1927. Grâce à la direction souple et coulante de gens comme le Dr. Arthur Hill à Sherbrooke, une croissance soutenue se remarqua. En 1960, on comptait douze assemblées francophones et autant d'anglophones. Aujourd'hui le nombre d'assemblées anglophones n'a pas bronché mais les assemblées francophones totalisent 40. Certains ministères paraecclésiastiques au Québec résultent des initiatives des laïcs de cette confession. Ils ont aidé à lancer *InterVarsity Christian Fellowship*, *les Groupes bibliques universitaires*, *Direction Chrétienne* et la première école biblique interdénominationnelle, l'*Institut biblique Béthel*, à Sherbrooke.

Les Églises francophones ont vraiment pris leur envol, comme le graphique nous l'a montré, au début des années 1970, partageant la scène avec une grande agitation sociale, caractérisée par les événements de la Crise d'Octobre en 1970 et les élections du Parti québécois en 1976. La croissance de l'Église durant ces années a littéralement explosé alors que des confessions comme l'Alliance chrétienne et missionnaire (arrivée dans les années 50), les Frères mennonites (arrivés en 1963), l'Église évangélique et l'Église évangélique libre s'affairaient à planter une foule d'Églises. En 1950, le Québec recevait 28 Églises protestantes francophones ; en 1984, ce nombre avait fait un gigantesque bond pour atteindre 350.

L'Église du Nazaréen et une reprise du ministère parmi les francophones par l'Armée du Salut s'ajoutaient à ce nombre dans les années 1980.

Au cours de cette prolifération de nouvelles Églises, trois tendances, valant la peine de s'y attarder, se dessinaient. Premièrement, les confessions traditionnelles ont connu un nouveau succès avec leurs ministères francophones. En 1988, la nouvelle confession, l'Église réformée du Québec, naissait à partir de plusieurs Églises rattachées à l'Église presbytérienne et l'Église réformée. Le diocèse anglican de Montréal, avec ses cinq paroisses, a mis la priorité dans les années 1990 sur la mission française.

Conclusions

Quelles conclusions pourrions-nous tirer, après dix années d'efforts ardus pour l'avancement de l'Église dans la métropole ? Après avoir personnellement participé à ces efforts et étudié la situation de près, voici la question que je pose : *Quels sont les thèmes à reconsidérer pour la prochaine année ?*

1. Des tensions doctrinales divisent l'Église évangélique dans chacune de ces villes. Ces divisions proviennent de paramètres traditionnels, mais constituent des obstacles majeurs à des projets collectifs d'évangélisation de la ville. Mission Québec (1990), organisée par l'Association d'évangélisation Billy Graham, a essayé de pallier cette situation. C'est l'histoire qui nous permettra d'en évaluer l'impact à long terme.

2. À l'heure actuelle, on se soucie constamment de trouver des stratégies pertinentes d'évangélisation. Il y a définitivement un désir de repenser ce que doit être l'évangélisation dans une société qui se sécularise. Depuis les dernières décennies, la mission francophone a utilisé des formes d'évangélisation traditionnelles qui ont eu peu d'effet sur les citadins. Ces méthodes proviennent en grande partie du monde anglophone.

3. Un consensus existe concernant la venue d'un renouveau du ministère des laïcs. Commentaire après commentaire, je constate que les pasteurs se plaignent d'être toujours ceux qui doivent tout faire tandis que les laïcs se sentent en marge du service chrétien.

4. Il y a une très grande insatisfaction concernant l'état actuel de l'éducation théologique. L'éducation théologique dans le monde francophone a été jusqu'à maintenant de nature très traditionnelle, sans véritable approche réfléchie sur l'action.

5. Les coûts élevés dans la région rendent difficiles la location d'espace et l'achat de terrains pour l'implantation d'Églises.

6. Il y a un souci grandissant pour bien comprendre la relation entre l'Évangile et la culture. En utilisant l'expression d'un certain auteur, on peut résumer le mouvement protestant dans le monde francophone urbain ainsi : *Le Christ contre la culture*. Par exemple, en réaction contre l'Église catholique romaine, plusieurs bâtiments sont très dépourvus, voire laids.

En regardant en arrière, l'Église protestante francophone du Québec urbain constate qu'elle possède un arrière-plan historique des plus riches et les leçons du passé peuvent sûrement lui apporter une sagesse pour demain. *Nous devons écouter !*

Notes du chapitre 4

---

1. Pour un excellent survol de la question de définition des évangéliques, voir *Evangelicalism & The Future of Christianity,* London : Hodder & Stoughton, d'Alister McGrath et *Evangelical Christianity & The Enlightenment* in the Gospel in the Modern World, ed. M. Eden et D. F. Wells, London : IVP, 1991 (p.66-78) de D. W. Bebbington.

2. Dans une étude effectuée par la firme de sondages Angus Reid - se servant d'une échelle de dix critères portant sur la tradition évangélique, qui se base sur les quatre critères de Bebbington – ils ont découvert que treize pour cent des Québécois adhèrent à ces croyances, dont deux pour cent qui s'identifient comme protestants évangéliques. Ceci inclut les Québécois de tous les groupes linguistiques.

3. J. S. Moir, *Canada and The Hughenot Connection 1577-1627* dans le *Canada's Huguenot Heritage 1685-1985*, édité par la Hughenot Society of Canada, (Toronto : Hughenot Society of Canada, 1987) p. 139.

4. Louis Rousseau, « Le va-et-vient entre le centre et la marge : trois siècles et demi de catholicisme franco-montréalais ». Allocution donnée dans le cadre du colloque *Société, culture et religion dans le Montréal métropolitain*, les 20 et 21 mai 1992.

5. R. Hardy, *La rébellion de 1837-1838 et l'essor du protestantisme canadien-français*, Revue historique de l'Amérique française, vol. 29.2 (septembre 1975) p. 166.

6. Ibid, p. 156.

7. J. M. Camp, *A Memoir of Madame Feller,* (London : Elliot and Stock. s.d.) p. 120.

8. Richard Lougheed, *The Controversial Conversion of Charles Chiniquy*, thèse de PHD, U. de M., 1994, 435 p. ; *A Major Stimulant for both Québec Ultramontanism and World-wide Anti-Catholicism : the legacy of Chiniquy*, Canadian Society of Presbyterian History Papers, 1994, p. 36-55.

9. Mgr Bourget insistait que l'on enseigne et pratique davantage ce que Chiniquy attaquait.

10. Richard Strout, *Advance Through Storm being the story of French Evangelical Protestantism in Roman Catholic Québec 1930-1980*, travail rédigé dans le cadre d'un cours à l'université Bishop, à Lennoxville, 1980, 48 p.

11. C. Marcil, *Le schisme de la Saint-Valentin*, L'Actualité, 2 février 1977, p. 33-34 ; *News of Quebec*, printemps 1986, p. 19-24.

12. *News of Quebec*, printemps 1985, p. 22-23 et été 1987 ; *l'Aurore*, juin 1950.

13. Leslie Tarr, *This Dominion*, His Dominion, Willowdale, Fellowship of Evangelical Baptist Churches of Canada, 1968, p. 158.

14. J. Edwin Orr, *Times of Refreshing*, (London : Marshall, 1936) p. 45.

15. Cette recherche a été réalisée par Direction Chrétienne inc., avec la collaboration de Edward Hoyer ainsi que Richard Lougheed, professeur d'histoire de l'Église à la Faculté évangélique théologique. Au début de 1984, Direction Chrétienne a demandé à chaque confession de lui fournir une liste de leurs Églises afin de les inclure dans son Répertoire chrétien. Ce travail a permis de confirmer et de rendre officielle cette information. Ces tableaux représentent les tendances ; il est impossible d'obtenir des chiffres précis avant cette date.

16. W. Peach, « *Evangelism - Distinctly Québec* », *Reclaiming a Nation*, édité par A. Motz (Richmond : Church Leadership Library, 1989) p. 153-176.

17. Donald Lewis, *Evangelical Renewal in French Canada*, His Dominion, automne 1982, p. 3-11.

CHAPITRE 5

PROTESTANTISME FRANÇAIS ET VISION LIBÉRALE DE LA RELIGION

Jean Baubérot

Permettez-moi d'abord de m'expliquer sur le titre, peut-être un peu étrange, donné à cette communication. Fort logiquement la proposition qui m'avait d'abord été faite par Hervé Savon portait sur le protestantisme libéral français. La modification du titre relève de ma seule responsabilité et elle est congruente avec un itinéraire intellectuel qui m'a fait « passer », à l'École Pratique des Hautes Études, de la chaire d'Histoire et Sociologie du Protestantisme à celle d'Histoire et Sociologie de la Laïcité.

Classiquement, l'histoire du protestantisme français contemporain s'effectue à partir du conflit théologique qui a opposé, au XIXe siècle, et au début du XXe siècle, les protestants orthodoxes (ou évangéliques, terme que je préfère) et les protestants libéraux. Ensuite, on examine les rapports entre le protestantisme français et la société globale, notamment les options politiques des protestants[1]. À ce moment-là, il est possible de mettre l'accent sur la participation de protestants français à la construction de la laïcité, thème que l'on retrouve aussi de façon plus ou moins allusive ou explicite dans certaines études d'histoire générale. L'idée sous-jacente est alors que ce sont des protestants libéraux qui ont été parmi les acteurs de cette entreprise. À propos de l'école laïque, cela se vérifie, au niveau en tout cas des tendances lourdes. Mais pour la séparation des Églises et de l'État, au contraire, les protestants les plus actifs ont été des évangéliques. Or la loi de séparation est typique de ce que j'appelle une vision libérale de la religion, c'est-à-dire une perspective qui ne se situe pas dans une problématique « vérité-erreur » mais part de la liberté de conscience de l'individu quitte à donner aussi à cette conscience le droit d'avoir, par le culte, une dimension collective[2].

D'autres exemples de quiproquos pourraient être donnés. Dans plusieurs colloques[3] auxquels j'ai participé, des protestants évangéliques militants se sont vu attribuer des options théologiques libérales par des historiens. Le plus souvent, les spécialistes du protestantisme présents rectifiaient la chose en s'excusant de devoir corriger une erreur « de détail », « d'érudition » : quand on n'est pas spécialiste, on ne saurait tout connaître de ce labyrinthe qu'est le petit protestantisme français. Or, à la réflexion, le problème n'est pas là. Il se situe en deçà : quel mécanisme a remplacé le *savoir* par du *croire* ? Autrement dit : pourquoi les historiens qui ne connaissaient pas la tendance théologique de telle ou telle personnalité protestante, au lieu de reconnaître une ignorance fort compréhensible, ont-ils pensé que ces personnalités ne pouvaient être que des protestants libéraux ? Et si nous énonçons la question de façon plus générale, cela donne ceci : pourquoi, dans l'optique d'une histoire socio-religieuse globale de la France, des protestants évangéliques sont-ils qualifiés de « protestants libéraux » ? Quelles sont les raisons d'une telle confusion ?

Cette confusion me semble révélatrice d'une idée, implicitement présente dans la tête des historiens : un protestant libéral peut être du côté de la modernité, de la laïcisation... En revanche, un protestant évangélique doit être exactement l'inverse. Donc si l'on trouve un protestant, agent actif de modernité et de laïcisation, il ne peut s'agir que d'un protestant libéral. Ainsi le pasteur Léon Pilatte, fondateur en 1879 de l'hebdomadaire *Le réformateur anticlérical et républicain*, devrait être un libéral, or c'est un évangélique militant[4]. Et on pourrait ainsi multiplier les exemples. Ils aboutissent à une nouvelle question : pourquoi les évangéliques, du moins certains d'entre eux, ont-ils aussi peu correspondu à l'image que des esprits cultivés se faisaient d'eux ? Et cette question en amène d'autres : le fait de construire l'histoire du protestantisme contemporain à partir du conflit théologique entre libéraux et évangéliques ne donne-t-il pas à ce conflit un aspect structurel qu'il n'a pas forcément ? Cela ne conforte-t-il pas une fausse image ? Est-il réellement scientifiquement pertinent de répéter ainsi la mémoire des protestants qui, elle, est pleine de querelles de famille entre libéraux et évangéliques ?

L'attitude à l'égard de la liberté religieuse

Il m'a donc semblé nécessaire de renverser la perspective : d'envisager d'abord les rapports du protestantisme à la société globale et, ensuite, d'étudier comment ce rapport peut influer sur les problèmes internes du protestantisme français. Et cela, notamment tout au long du XIXe siècle.

Sous la Restauration, une société dont a parlé H. Hasquin[5], symbolisera la résistance libérale au cléricalisme : la *Société de la Morale Chrétienne.* Selon un rapport de police, rédigé en 1823, il s'agissait d'une « vaste ligue formée par des protestants et (les) libéraux » qui préparait « une véritable révolution dans les esprits ». Cette société se voulait interconfessionnelle et, du côté protestant, comportait des pasteurs et des laïcs influents, dont plusieurs évangéliques notoires. En revanche, ses membres catholiques étaient, sauf exceptions, plus ou moins en rupture de ban d'avec le catholicisme officiel et certains affichaient explicitement des conceptions spiritualistes ou déistes. Daniel Robert note que l'attitude des évangéliques pouvait paraître paradoxale : au sein du protestantisme, ils combattaient la tendance théologique libérale, qu'ils accusaient de semi-rationalisme : dans la société globale, ils allaient à des gens dont les croyances se trouvaient très éloignées du christianisme traditionnel[6]. On leur en fit d'ailleurs reproche à l'époque et ils ne furent guère capables d'expliquer les contradictions entre leur conduite *ad intra* et leur conduite *ad extra*.

La Société de la Morale Chrétienne menait notamment un combat en faveur de la liberté religieuse. Proches d'Alexandre Vinet, plusieurs évangéliques défendirent, avec ardeur, la liberté de croire et la liberté de ne pas croire. Ainsi Agénor de Gasparin, cofondateur en 1849 des Églises évangéliques – Églises qui considéraient la tendance évangélique des Églises réformées comme trop laxiste dans ses rapports avec les protestants libéraux[7] – déclare, la même année, que tout être humain qui considère les religions comme autant de « mensonges » doit avoir le droit de « les attaquer (et de) travailler sérieusement à leur destruction[8] ». On a là, de la part d'un évangélique convaincu et fougueux, l'affirmation, for problématique à l'époque, d'une égalité des droits de chaque individu à manifester publiquement sa croyance ou son incroyance, si « pernicieuse » puisse-t-elle paraître. Nous trouvons des accents identiques chez un autre dirigeant des Églises évangéliques, lors de la République conservatrice : s'indignant contre les mesures qui frappaient les enterrements civils, le pasteur Edmond de Pressensé affirma alors : « L'honneur d'une religion est qu'on puisse ne pas la pratiquer[9]. » De manière constante, l'hebdomadaire évangélique *L'Église Libre* combattit, ces années-là, les poursuites judiciaires pour « outrage à la religion ».

Parallèlement à ces citations d'évangéliques ardents, militants, il serait possible d'en aligner d'autres provenant d'évangéliques plus modérés et plus réservés. Ainsi, en 1843, l'hebdomadaire *L'Espérance* estimait que la lutte des protestants pour une complète liberté religieuse devait se « borner » à la défense des « Églises sorties de la

Réforme ». Certes, reconnaissait le rédacteur de *L'Espérance*, l'État serait bien avisé d'autoriser toutes les doctrines « dont la morale n'a rien de contraire au christianisme » mais il ne revenait pas au protestantisme de revendiquer auprès des pouvoirs publics « la liberté de blasphémer contre Dieu[10] ». Nous trouvons donc deux positions divergentes chez les évangéliques et nous retrouverions des différences analogues chez les protestants libéraux. Il est donc nécessaire d'abandonner, dans un premier temps en tout cas, l'idée que les clivages théologiques constituent un facteur pertinent de différenciation face à la société globale. Il nous faut trouver un autre élément qui permette d'établir une distinction, quitte ensuite à nous demander quelle cohérence peut exister entre une vision libérale de la religion et des options théologiques.

Revenons un instant à un pasteur évangélique dont j'ai dit qu'il était souvent pris pour un protestant libéral : le pasteur Léon Pilatte, fondateur de l'hebdomadaire dont le titre est déjà tout un programme : *Le réformateur anticlérical et républicain*. Nous sommes à la fin des années 1870, les républicains viennent de triompher de l'Ordre Moral et de la tentative d'opérer une restauration monarchique (crise du 16 mai). Dans leur programme initial, dit « programme de Belleville » (1869), on trouvait la séparation des Églises et de l'État, pourtant la « République des républicains » va conserver pendant 25 ans encore le Concordat avec l'Église catholique et le système des cultes reconnus. C'est cet ensemble que Pilatte met en cause et il donne ce conseil à ses amis républicains : « Laissez qui le voudra élever chaire, autel contre autel (...). Mettez la vérité au concours et vous verrez les syllabusiens [11] effarés fuir l'atmosphère de lumière et de liberté que vous aurez faite autour d'eux[12]. »

« Mettre la vérité au concours », nous trouvons déjà cette expression à plusieurs reprises dans la *Revue Protestante*, publication à caractère théologiquement libéral et qui paraissait, dans les années 1820, sous la Restauration[13].

Si, à plus de cinquante ans de distance et malgré leur opposition théologique, des protestants se rejoignent ainsi c'est – à mon sens – parce que ces protestants ont des intérêts stratégiques communs et aussi, en dépit de leurs tendances théologiques divergentes, certains schèmes mentaux – que l'on pourrait qualifier de théologico-culturels – identiques.

Les intérêts stratégiques communs paraissent assez simples à définir : mettre la « vérité au concours » signifie favoriser dans toute la mesure du possible la libre concurrence religieuse. Qu'il s'agisse du catholicisme de nouveau triomphaliste de la Restauration – l'expression « clérical », « cléricalisme » date de cette époque – ou du catholicisme intransigeant de la seconde moitié du siècle (qui ne peut avoir, pour ses adversaires, de meilleur symbole que le *Syllabus*), la conviction profonde de beaucoup de protestants français est qu'il existe une grande dissonance entre « l'esprit du temps », les « valeurs de 1789 » qui « travaillent » la société française moderne et ce catholicisme-là. Le catholicisme dominant ne s'imposerait à la société française que par une acceptation passive, tirée de la force de l'habitude et, actualisée, revitalisée, par les liens officiels du Concordat. Malgré l'égalité juridique proclamée, le Concordat mettrait le catholicisme sur un piédestal par rapport aux autres croyances et aux autres cultes – fussent-ils, eux aussi, « reconnus ».

À partir de cette analyse – faite parfois explicitement et parfois implicitement – tout ce qui peut favoriser un remue-ménage religieux, tout ce qui peut développer la libre concurrence apparaît profitable aux « intérêts du protestantisme français ».

Cela apparaît doublement profitable. D'abord parce que la position de départ de ce protestantisme est tellement faible que si la situation socio-religieuse bouge, évolue, il ne peut en être que bénéficiaire. Ensuite parce que s'il se place délibérément, lui, du côté du pluralisme, de la libre concurrence des « vérités religieuses » et qu'il l'indique haut et fort aux Français, il peut devenir attractif auprès des non-protestants, montrer à tous ceux qui éprouvent un malaise face à l'écart grandissant entre les doctrines officielles catholiques et les idéaux de la société moderne qu'il se trouve, lui, du côté de ces idéaux, qu'il est une religion de liberté et de modernité.

L'affinité entre les convictions protestantes et de nouveaux idéaux

Mais avoir de tels intérêts stratégiques implique que l'on croit effectivement qu'il existe une congruence entre les convictions protestantes et les idéaux de la société moderne[14]. Une telle congruence peut être appréhendée par le biais de ce que l'on a appelé « l'individualisme protestant » du XIXᵉ siècle, fond commun à beaucoup d'évangéliques et de libéraux.

La première grande caractéristique de cet individualisme est sa visée universaliste. En rupture avec la conception de la chrétienté médiévale, considérée culturellement comme une grande collectivité organique, le protestantisme s'est inséré peu à peu dans un mouvement culturel où a pris sens une notion d'« humanité » distincte de celle de « chrétienté ». L'humanité paraît, suite notamment aux récits des grands voyageurs, comme un ensemble éclaté, composé de différentes sociétés possédant chacune sa religion (voire ses religions), ses lois, ses mœurs, etc. L'être humain appartient d'abord à un grand ensemble humain avant d'être membre de sa société propre. Il ne se trouve donc pas enfermé dans des frontières sociales.

Cette référence universaliste est, en gros, commune à l'ensemble de la perspective libérale. Mais si seuls certains catholiques, plus ou moins déviants, peuvent réellement l'adopter, elle peut être conjuguée, sur le mode religieux, aussi bien par des protestants évangéliques que par des protestants libéraux. Pour les uns comme pour les autres, le salut, en effet, traverse les frontières confessionnelles. Pour des libéraux, cela peut aller de pair avec un certain relativisme doctrinal : la sincérité, l'ardeur dans la piété, le sens moral sont jugés plus importants que de strictes formulations dogmatiques qui varient suivant les époques, comme chacun peut le constater. Pour des évangéliques, les « rachetés », les « régénérés » se trouvent dans différentes Églises. Ce qui importe avant tout, c'est l' « Église invisible », composée des vrais croyants et non telle ou telle Église visible. La première organisation interconfessionnelle protestante qualifiée « d'œcuménique[15] » est fondée à Londres en 1846, il s'agit de « l'Alliance évangélique universelle » qui rassemble des protestants de tendance évangélique et membres de différentes Églises.

Dans un tel cas de figure, il existe cependant une séparation au sein de l'humanité entre les croyants authentiques et les autres êtres humains. Cette séparation, plus ou moins floue chez nombre de libéraux, est, bien sûr, beaucoup plus nette dans les milieux évangéliques. Mais pour certains d'entre eux, la relativisation des Églises visibles, la conviction que, finalement, c'est Dieu seul qui connaît les vrais croyants et que, jusqu'aux ultimes moments de sa vie, tout individu peut se convertir dans un dialogue direct avec Dieu, conduit à un respect de la liberté de conscience.

La conscience est une sorte d'ambassadeur de Dieu, placée par lui dans notre moi profond. Elle est, en quelque sorte, un « Évangile intérieur » qui a, certes, besoin du vis-à-vis de « l'Évangile extérieur », la Bible – c'est pourquoi on revendique la liberté de la diffuser et l'on fonde des Sociétés bibliques. Cependant, inversement, l'Évangile extérieur, dans cette perspective, a besoin de l'écho qu'il rencontre dans la conscience.

La conscience donne la possibilité d'adorer le Dieu véritable, différent de celui qui est capté par le conformisme social et ecclésiastique (et donc captif de lui). Elle permet la protestation religieuse du croyant. Elle peut permettre aussi, dans une certaine mesure, de considérer positivement l'incroyance. Cette dernière peut être un christianisme qui s'ignore face au « faux Dieu » du conformisme social et ecclésiastique. En même temps, cette mise en avant de la conscience amène à poser une question à l'incroyance : « Quel est le véritable fondement de votre sentiment du devoir, devoir qui souvent s'oppose à vos propres désirs et les supplante ? » demande-t-on aux agnostiques[16].

Dans la perspective théologique des libéraux, il existe un *continuum* entre l'aspect moral de la conscience et sa dimension religieuse. L'être humain devrait découvrir l'exemplarité morale de Jésus-Christ et le prendre pour modèle. Il devrait trouver dans l'Évangile, la base de la véritable morale.

Dans la perspective théologique des évangéliques, il existe, au contraire, une rupture, une conversion nécessaire, une « nouvelle naissance ». Mais cette rupture montre que personne ne naît chrétien, chacun doit le devenir par un itinéraire personnel, une expérience profonde, une crise intérieure. Même un enfant d'une famille pastorale doit « en passer par là » s'il veut parvenir à une foi authentique. C'est dire qu'il existe la nécessité de valoriser religieusement la liberté.

Il n'est donc guère étonnant que, pour ces protestants, le protestantisme génère le libre-examen. Aujourd'hui, écrit Alexandre Vinet dans les années 1830 : « Le protestantisme s'est produit comme un large principe applicable à tout ce qui est susceptible d'examen. Le protestantisme en politique, en religion, en littérature, est le droit de s'isoler de la communauté de croyances, pour voir si l'on pourra s'y rattacher et jusqu'à quel point (...). Le protestantisme, c'est l'individualisme dans la pensée. Le protestantisme, c'est une forme de liberté[17]. »

Dans chaque tendance, une minorité dynamique...

Cet individualisme universaliste nous semble culturellement hégémonique dans le protestantisme français du XIXe siècle, car c'est lui qui détermine la manière dont se posent les questions. Cependant seule une minorité dynamique de chaque tendance apporte des réponses aussi structurées que celles que je viens brièvement de décrire. Pour être socialement opérationnelles, ces conceptions ont besoin d'être dynamisées par une ardeur évangélisatrice, un désir de donner à la France ce que ces protestants appellent un « meilleur sort religieux », en fait, une volonté de la « protestantiser[18] ».

On comprend mieux, alors, le paradoxe énoncé au début de cet exposé : les évangéliques convaincus sont les propagandistes d'une conception libérale de la religion dans la mesure même où ils sont d'ardents évangélisateurs, des créateurs d'œuvres qui assurent le rayonnement social du protestantisme français du XIXe siècle. Mais ils peuvent s'opposer aux protestants théologiquement libéraux car, si le christianisme doit être affaire individuelle – ce qui est congruent avec la conception libérale –, il ne doit pas pour autant, selon eux, changer le contenu pour plaire à l'esprit du temps ; ce serait l'affadir[19]. Formalisant mon propos, je dirai que leur christianisme souhaite exister dans une société sécularisée et laïcisée mais ne veut pas intérioriser sécularisation et laïcisation.

Tout en cherchant à accompagner théologiquement la modernité culturelle, certains protestants libéraux montrent la même ardeur évangélisatrice. Un des plus notables est le pasteur de Nîmes, Samuel Vincent, auteur en 1829 de l'ouvrage *Du protestantisme en France*, où il prône la séparation des Églises et de l'État. Des raisons de principes coexistent, dans ce plaidoyer, avec des arguments d'opportunité : « chacune des deux religions (= la catholique et la protestante) serait (avec la séparation) réduite à ses véritables partisans » et libre de « se développer et (de) s'étendre ». Samuel Vincent ne veut pas faire « des pronostics qui pourraient exciter la rancune » sur les résultats d'un tel événement mais il conclut cependant : « L'une des deux religions a beaucoup moins à perdre que l'autre dans un changement de cette nature[20] ! » Pas besoin de faire un dessin pour savoir laquelle[21] ! Et le « beaucoup moins à perdre » me semble une litote ; en fait l'espoir existe d'une modification du rapport de force interreligieux. On rejoint ainsi les intérêts stratégiques dont il a déjà été question.

... Et une majorité plus prudente

Mais d'autres protestants – évangéliques et libéraux – sont plus prudents, plus « tièdes » diraient les premiers. Ce sont certains dirigeants et sans doute aussi la majorité silencieuse de chaque tendance. Ils estiment qu'après les guerres de religion du XVIe siècle, la persécution de la fin du XVIIe siècle et du XVIIIe siècle, événements qui ont porté des coups terribles au petit protestantisme français, l'instauration, grâce à l'autorité de l'État et sous son contrôle, d'une paix religieuse est – malgré ses limites indéniables[22] – une situation satisfaisante – voire presque, pour certains, inespérée. Après avoir été pourchassés et avoir eu leurs temples détruits, les protestants sont membres – dans leur immense majorité – de deux « cultes reconnus ». L'État les a aidés à se restructurer et il assure le traitement de leurs pasteurs.

Pour ces protestants, il serait donc néfaste de mettre en péril des acquis si précieux en provoquant des troubles. L'occasion d'une concurrence religieuse active, c'est-à-dire (du côté protestant) d'une évangélisation qui cherche à convaincre des Français catholiques de conviction ou d'origine d'adopter le protestantisme, ne leur paraît pas toujours évidente, ou du moins ils pensent qu'elle doit s'effectuer avec prudence pour ne pas remettre en cause ce qui a été obtenu[23]. D'autre part, tout en partageant plusieurs aspects de l'optique individualiste qui vient d'être décrite, ils accordent plus d'importance que les premiers à l'organisation ecclésiastique. Sans lui donner autant de valeur que dans le catholicisme romain, « l'Église visible » leur apparaît comme le cadre normal de la vie religieuse. À ce titre, elle est nécessaire et même précieuse.

« Protestants sages » et « protestants pas sages »

Quand on privilégie la perspective des relations du protestantisme avec la société globale, on trouve donc schématiquement[24] deux protestantismes. Mais ces deux protestantismes ne sont pas séparés par des divisions théologiques. Un ministre des Cultes l'avait bien perçu : dans les années 1840, il opposait ce qu'il appelait le « protestantisme sage » (notre second protestantisme) et le « protestantisme pas sage » (notre premier protestantisme, celui qui a retenu notre attention car, quoique minoritaire, il a été historiquement actif[25]).

Ces deux protestantismes, à différentes reprises, ont eu des activités complémentaires. À l'un, la « sage » gestion des paroisses, des consistoires... et des bons rapports avec les gouvernements. À l'autre, l'action, souvent moins sage, au sein des sociétés religieuses, des œuvres et plus tard des mouvements. Parfois aussi ces deux protestantismes entrèrent en conflit : pour les « protestants sages », les « protestants pas sages » pouvaient être décidément trop déstabilisateurs et menacer, par leurs entreprises aventureuses, la tranquillité si durement obtenue ; pour les « protestants pas sages », les « protestants sages » pouvaient décidément être trop tièdes et, à cause de leur fadeur, ne plus témoigner assez de la « folie évangélique ».

Mais, pour notre objet d'études, ce qui importe le plus c'est que les « protestants pas sages », militants et novateurs, ont agi, à plusieurs reprises, en liaison avec d'autres. Ils constituèrent, de fait, une composante d'un courant qui comprit aussi des catholiques gallicans et jansénisants, des spiritualistes de diverses nuances voir même, dans la seconde moitié du siècle, des libres-penseurs militants[26]. Et ce courant, dont on n'a pas encore véritablement écrit l'histoire, l'évolution, les tensions internes, peut cependant être déjà nommé : il s'agit du vaste courant laïcisateur, mouvance qui ne va pas « protestantiser » la France mais, au bout du compte, inventer la laïcité à la française.

Notes du chapitre 5

---

1. C'est, en partie, la perspective adoptée par un excellent historien du protestantisme A. Encrevé, dans sa thèse *Protestants français au milieu du XIXe siècle, les Réformés de 1848 à 1870*, Labor et Fides, Genève, 1985.

2. Il s'agit donc moins d'une prise de position sur un quelconque statut ontologique de la religion, que – plus concrètement – de la façon dont on envisage sa place au sein de la société.

3. Exemple très significatif : dans les années 1970, les organisateurs d'un colloque sur le catholicisme libéral ont demandé à A. Encrevé de parler d'un « groupe de protestants libéraux », l'équipe qui publia dans les années 1830 et 1840 la revue *Le Semeur, Journal Religieux, Politique, Philosophique et Littéraire*. A. Encrevé dut expliquer que, si l'équipe du *Semeur* était politiquement et idéologiquement libérale, elle était théologiquement tout à fait évangélique – cf. A. Encrevé, « Un nouveau groupe de protestants "libéraux" : le milieu du *Semeur* et son action pendant la seconde République », dans *Les Catholiques Libéraux au XIXe siècle*, Grenoble, 1974, p. 463-487.

4. Dans l'ouvrage d'A. Coutrot et F. Dreyfus, *Les forces religieuses dans la société française* (A. Colin, Paris, 1965) sont considérés comme théologiquement libéraux, outre L. Pilatte, E. Réveillaud, la Mission Mac-All et *la Revue Chrétienne*, hommes et organismes qui tous appartiennent au protestantisme évangélique.

5. Voir *supra*, p. 17 et suivantes.

6. Cf. D. Robert, *Les Églises réformées de 1800 à 1830* , P.U.F. Paris, 1961, p. 438.

7. Cette tendance avait accepté en 1848 que les Églises réformées n'aient pas officiellement de confession de foi.

8. A. de Gasparin, *Liberté religieuse* (recueil de textes, celui cité date de 1849), Paris, 4e édition, 1887, p. 87s. A. de Gasparin poursuit : « La liberté de l'erreur m'est

plus précieuse que la liberté de la vérité ; quand l'erreur se montre intolérante, c'est un mal mais quand la vérité se montre intolérante, c'est une disgrâce. Nous chrétiens, nous rougirions pour la vérité le jour où elle semblerait s'abriter derrière un arrêt de tribunal. »

9. Ed. de Pressensé, *Assemblée nationale*, 4 juillet 1873 ; cf. *Revue Chrétienne*, 1873, p. 457. Lors du tricentenaire de la Révocation de l'Édit de Nantes, le président de la République française, François Mitterrand, a cité cette phrase d'Edmond de Pressensé (Discours à l'U.N.E.S.C.O. le 11 octobre 1985).

10. *L'Espérance*, 26 septembre 1843 et 23 avril 1844. Cf. J. Baubérot, *Le protestantisme doit-il mourir ?*, Seuil, Paris, 1988, p. 46.

11. Référence au *Syllabus* (déclaration pontificale hostile à la société moderne) de 1864.

12. L. Pilatte, *Le réformateur anticlérical et républicain*, 17 avril 1879.

13. Cf. J.-J. Goblot, « Les mots "protestants" et "protestantisme" sous la Restauration », dans *Civilisation chrétienne, approche historique d'une idéologie*, Beauchesne, Paris, 1975, p. 208-229.

14. Globalement de la société issue de 1789.

15. Ce fut Adolphe Monod qui la qualifia ainsi.

16. Pour disposer d'une description plus développée de cet individualisme protestant du XIXe siècle, cf. Jean Baubérot, *Le retour des Huguenots, la vitalité protestante XIXe – XXe siècle*, Cerf-Labor, Paris-Genève et Fides, 1985, p. 29-46.

17. A. Vinet, *Nouvelles études évangéliques*, Paris ,1851 (texte datant de 1831) p. 283 et suivantes.

18. D. Robert (*op. cit.*) note que les revivalistes – qu'ils soient évangéliques ou libéraux – du début du XIXe siècle étaient numériquement minoritaires dans le protestantisme français mais que c'étaient leurs représentants qui dominaient les comités des sociétés religieuses et des œuvres.

19. De fait, si le philoprotestantisme avait plutôt des sympathies pour le protestantisme libéral, ceux qui devinrent protestants, des paysans du Limousin ou de l'Yonne à des personnalités plus connues comme le publiciste Eugène Réveillaud (qui sera, au début du XXe siècle un député radical particulièrement actif dans la préparation de la loi de séparation des Églises et de l'État) et le philosophe Charles Renouvier se rattachèrent, en général, au protestantisme évangélique.

20. S. Vincent, *Du protestantisme en France*, Paris, 1829, p. 235. Une nouvelle édition avec une introduction de Prévost-Paradol fut publiée en 1859, c'est-à-dire lors du développement de l'anticléricalisme dans le contexte de l'Empire autoritaire.

21. S. Vincent avait expliqué auparavant pourquoi le protestantisme était, à son avis, mieux préparé que le catholicisme à faire face à une séparation des Églises et de l'État.

22. Notamment l'interdiction des synodes jusqu'en 1872.

23. Des milieux libéraux se montrent parfois encore plus réservés que les milieux évangéliques modérés.

24. Il s'agit naturellement de positions types. Pour chaque dossier précis, il faudrait apporter les nuances nécessaires.

25. Débat à la Chambre des pairs, le 11 mai 1843. On pourrait qualifier le protestantisme « pas sage » de « protestantisme revivaliste », en prenant ce terme dans un sens large : l'esprit d'un réveil qui anime aussi bien des évangéliques que des libéraux (et même, à la fin du siècle, des ultralibéraux comme Félix Pécaut ou Ferdinand Buisson).

26. Alliance bien sûr limitée et parfois conflictuelle, surtout du côté des évangéliques.

❖❖❖❖❖❖❖❖❖ CADRE CONTEXTUEL ❖❖❖❖❖❖❖❖❖

CHAPITRE 6

MYTHES MODERNES SUR LA MARGINALISATION DE LA RELIGION

Bruno Désorcy

Parler du phénomène de la marginalisation de la religion à la fin de ce XXe siècle occidental est une question complexe qui ne peut pas être réduite à quelques simples équations sociologiques. Cependant, nous ne pouvons pas nier qu'une forme plus institutionnelle de la foi (principalement incarnée par le christianisme) a été écartée du noyau central des sociétés occidentales. Elle était reléguée à un terrain vague du social, près de ceux qui appartiennent au folklore de la société traditionnelle. Cette marginalisation de la religion entraîna avec elle des institutions connexes comme la famille et le mariage qui sont des expressions civiles de cette manifestation institutionnelle qu'est la religion. Toutefois, même cette règle générale comporte des nuances importantes dans certains cas, comme ceux des sociétés française et américaine, où la religion civile tient lieu d'une certaine transcendance des valeurs sur la base d'une laïcisation de la société civile. Mais même là, le cas américain se distingue nettement du cas français : les deux sociétés entretiennent une perspective historique tout à fait différente sur le rôle de la religion dans leur genèse collective. Le cas du Québec est lui aussi tout à fait particulier, même s'il est laïc dans la société civile. Cette collectivité ne dispose pas, à proprement parler, de religion civile. La transcendance de certaines valeurs dans la société québécoise subsiste uniquement à travers quelques rapports plus ou moins articulés avec un passé traditionnel lourdement révisé par une historiographie du moment présent.

Chaque collectivité en Occident doit donc être considérée comme un cas d'espèce entretenant des liens complexes avec le phénomène religieux et des conditions uniques dans lesquelles la marginalisation s'est opérée. Croire que la marginalisation de la religion en Occident est un phénomène global qui s'opère de la même manière dans toutes les sociétés relève de la mythologie moderne.

Le fait religieux

Un autre mythe moderne est celui de l'exclusion du fait religieux du noyau des sociétés occidentales à cause de la marginalisation de la religion institutionnelle. Dans les faits, c'est probablement l'inverse qui s'est opéré. En écartant l'institution qui représentait le sacré et la transcendance dans la culture, ces collectivités ont consacré le caractère transcendant de leurs noyaux institutionnels, notamment les institutions de type politico-économique. C'est-à-dire que le fait religieux (le champ des préoccupations ultimes de toutes les activités humaines) s'est introduit dans la logique même des significations culturelles qui soutiennent d'une part la cohésion de l'ensemble social et d'autre part le poids déterminant de certaines forces instituantes, lesquelles paraissent comme des forces anonymes telles que la « loi du marché », les « cotes boursières », le « déficit zéro » et même la « démocratisation » dans un contexte où Wall Street, la Banque mondiale et le Fonds monétaire international dictent leurs volontés à travers le globe. Les grandes forces instituantes deviennent alors des pouvoirs auxquels chaque collectivité doit se plier. La quête de l'ultime devient alors une question de survie collective à court terme.

Mais au-delà des préoccupations politico-économiques, les sciences positivistes, qui sont à la base du mythe moderne, furent aussi pénétrées par le fait religieux. Pour Auguste Comte (1798-1857), un des pères de la sociologie, l'avenir des sciences devait devenir « la base spirituelle permanente de l'ordre social[1] ». Aux racines épistémologiques de la connaissance scientifique on retrouve inévitablement des questions ouvertes relevant de choix basés sur des valeurs, sur des expressions symboliques de la réalité qui sont irréductibles au niveau empirique, et sur des conditions essentielles, mais imprévisibles, aux fonctionnements de systèmes complexes. Le sociologue Robert N. Bellah écrivait en 1969 que les sciences sociales ont une implication religieuse en elle-même et que le rapport entre les deux entités est de nature organique[2].

Nous pouvons donc affirmer que malgré le déclin de l'influence institutionnelle de la religion, le fait religieux s'est introduit dans toutes les sphères d'activités humaines d'une façon implicite. Les sociétés occidentales modernes sont fondamentalement religieuses, dans le sens qu'elles sont basées sur des croyances tout à fait assimilables aux dogmes religieux. C'est principalement ce que les intellectuels de la postmodernité se sont appliqués à démontrer.

Marginalisation et christianisme

Un troisième mythe moderne sur la marginalisation de la religion dans la société occidentale est le rôle que le christianisme a joué dans ce processus. La mythologie moderne, à la suite de Comte et de sa fameuse loi de l'évolution historique en trois phases (l'époque religieuse, métaphysique et scientifique), soutient que l'esprit moderne doit être en rupture avec la religion. Premièrement, il faut mentionner que l'objectivation du monde, la désacralisation de la politique et des valeurs, conditions essentielles à la pratique des sciences et à la démocratie, relèvent avant tout d'une épistémologie biblique. Cette libération cognitive découle directement d'une perspective théologique judéo-chrétienne sur la création. Si le monde ne peut être connu, soit parce qu'il est « dieu » et donc sacré, ou soit parce que les « dieux » en transforment continuellement les conditions empiriques, il est impossible de développer une science et des droits humains. La modernité s'appuie implicitement sur cet acquis essentiel de la civilisation judéo-chrétienne.

En plus de cela, le fameux doute systématique de la science, (cette méfiance fondamentale de ce qui « est » face à ce qui « doit être ») est aussi un héritage de la pensée judéo-chrétienne. Par exemple, le péché originel et l'état d'aliénation de l'être humain vis-à-vis de Dieu et sa création créent dans la pensée occidentale un doute face à nos possibilités de bien analyser le monde de façon « objective ». Ajoutons à cela que le messianisme typique à l'idéologie du « progrès » de l'histoire, que l'on retrouve aussi bien dans la pensée de Marx que dans l'idéologie capitaliste, n'est pas étranger au messianisme biblique et au refus du messie chrétien.

La modernité s'appuie donc sur une vision du monde et une théologie de la création judéo-chrétienne. Comment peut-on alors expliquer la marginalisation de la religion si la modernité s'inscrit en continuité avec une vision du monde judéo-chrétienne ?

La réponse se trouve principalement dans les Églises protestante et catholique du XVIIIe et du XIXe siècle. La foi chrétienne promue par les institutions religieuses de l'époque, impliquait un lourd bagage d'énoncés cognitifs par rapport à la nature de l'univers, de l'espèce humaine et de l'histoire[3]. On évoquait à l'époque une date précise pour la création du monde, une description précise de celle-ci, on argumentait uniquement pour une interprétation littérale des écrits bibliques sans respect pour les divers genres littéraires de la Bible, etc. Une science critique ne pouvait pas s'embarrasser d'un tel dogmatisme philosophique dans sa redécouverte du monde. La pire crise fut certainement la théorie de la sélection naturelle de Darwin qui ébauchait une première perspective scientifique sur l'origine des espèces. Cette théorie remettait en cause non seulement les interprétations du récit biblique de la création, mais aussi l'interprétation traditionnelle de l'*imago dei* de l'être humain. Les universités, qui étaient à l'origine des institutions confessionnelles, devinrent des lieux de propagation de la bonne nouvelle de la rationalité objective. L'Église y vit tout de suite une menace et développa une attitude réfractaire à l'éducation moderne. Richard Hofstader souligne à ce propos que selon l'esprit de l'époque, puisque la foi religieuse ne pouvait être rationnellement défendable, on supposait qu'elle serait mieux propagée par des personnes peu instruites[4].

Il apparaît donc clairement que l'Église n'a pas subi le processus de marginalisation de la religion institutionnelle par l'expansion de la rationalité scientifique, malgré ce que le mythe de modernité pourrait nous faire croire. Au lieu de chercher à concilier une théologie biblique avec une science empirique, sans pour autant renier les canons de la foi chrétienne et les canons de l'objectivité scientifique, l'Église a activement participé à sa propre marginalisation en choisissant de se cantonner derrière des positions dogmatiques sur la nature de l'univers.

Vers une théologie de la religion

En conclusion, j'aimerais simplement suggérer que malgré la marginalisation des institutions religieuses, il existe au cœur de nos sociétés une effervescence religieuse, un peu apparentée à ce qu'Émile Durkheim appelait « effervescence collective[5] », par laquelle émergent de nouvelles représentations culturelles. La popularité du nouvel âge et des mouvements ésotériques en sont un bon exemple. Les chrétiens doivent apprendre à tirer profit de cette effervescence religieuse en tentant de découvrir le sens spirituel que prend leur collectivité en cette fin de siècle, pour participer à la transformation de leur milieu de vie vers un véritable *shalom*. Aussi curieux que cela puisse paraître nous avons besoin de développer une théologie de la religion.

> 1. Croire que la marginalisation de la religion en Occident est un phénomène global qui s'opère de la même manière dans toutes les sociétés relève de la mythologie moderne.

> 2. L'Église a activement participé à sa propre marginalisation en choisissant de se cantonner derrière des positions dogmatiques sur la nature de l'univers.

Notes du chapitre 6

---

1. Auguste Comte, « Considérations philosophiques sur les sciences et les savants » dans *Système de politique positive,* tome 4, appendice, p. 161, cité par Raymond Aron dans *Les étapes de la pensée sociologique,* Paris, Gallimard, 1967.
2. Robert N. Bellah, *Essays on Religion in a Post-Traditionalist World,* University of California Press, Berkeley et Los Angeles, 1991, p. 237.
3. *Ibid.,* p. 238.
4. Richard Hofstader, *Anti-Intellectualism in American Life,* New York, Vintage, 1962, in Mark A. Noll, *The Scandal of the Evangelical Mind,* Grand Rapids, Michigan, Eerdmans, 1994, p. 11.
5. Émile Durkheim, *Les formes élémentaires de la vie religieuse,* Paris, P.U.F., 1990, in Bellah, *op.cit.,* p. 239.

CHAPITRE 7

LA RELIGION DANS LES ÉCOLES DU CANADA : LES ÉGLISES ONT-ELLES UN RÔLE À JOUER ?

Yvonne M. Martin

La place de la religion dans les écoles au Canada a toujours été une question de loi. Au cours des ans, ce fait a été la source d'un vigoureux débat juridique et de mémorables contestations portées devant les tribunaux. Il y a environ cent ans, ce débat a presque provoqué une crise constitutionnelle au pays et il a même mené à la défaite d'un gouvernement provincial (Ontario, 1985). En dépit d'un mécontentement persistant, les lois ont favorisé, pendant environ cent quinze ans, un solide partenariat entre l'Église et l'État pour l'éducation des enfants.

Aujourd'hui, cet ordre ancien laisse la place au nouveau, et le rôle historique de l'Église en éducation est en butte aux attaques. Ces attaques viennent de tous côtés, les plus importantes ayant trait aux intérêts économiques, au changement de philosophies politiques, à l'obligation accrue de rendre des comptes, et au glissement général des valeurs sociétales. Le référendum tenu à Terre-Neuve, en septembre 1995, où les citoyens autorisèrent le gouvernement à procéder au démantèlement du système scolaire confessionnel afin que le système justifie de façon plus satisfaisante l'utilisation des fonds publics, illustre bien ce point. Cela démontre que la majorité veut un changement.

Dispositions de la Charte

La *Charte* constitue l'incorporation récente des valeurs fondamentales au Canada (1982). Elle a offert aux parents un ensemble général de croyances selon lequel ils peuvent agir individuellement ou collectivement, en leur propre nom et au nom de leurs enfants. Une telle intervention collective des parents est sans précédent dans l'histoire canadienne. Avant la proclamation de la *Charte*, les parents ne disposaient que de peu d'espace pour agir. Ils n'avaient aucune responsabilité juridique dans l'éducation de leurs enfants. Ils ne jouent pas encore de rôle majeur dans l'éducation de leurs enfants dans la plupart des provinces.

L'existence de la *Charte* a suscité récemment les plus importants litiges juridiques portant sur la question de la religion dans les écoles. Ces contestations remettent continuellement en question la validité du rôle que joue l'Église dans l'éducation en dehors des écoles confessionnelles. Jusqu'ici, on a utilisé la *Charte* pour effacer toute trace d'influence religieuse, même dans les milieux où la religion a perdu depuis longtemps la signification qu'elle pouvait avoir auparavant. Par exemple, Russow, en Colombie-Britannique, a soutenu que la « récitation du Notre Père » et « la lecture de l'Écriture sans aucun commentaire » dérogeaient à la *Charte*. La cour l'admit. Et tout permet de croire que la *Charte* continuera d'exercer ses effets sur la religion dans les écoles avec un succès croissant.

Perspective historique

Mais jetons un rapide regard sur l'histoire. Au niveau fédéral, la Constitution (1867) a prévu la coexistence de l'Église et de l'État dans l'éducation des enfants. Bien que les deux parties aient à jouer un rôle dans l'éducation des enfants, ces rôles ne sont pas les mêmes. Chaque province a le contrôle exclusif de la législation et de la direction de l'éducation sur son territoire. Dans les provinces où l'Église avait la responsabilité de diriger les écoles, elle devait toujours le faire en tenant compte de la politique, de la législation, des directives et des règlements de la province en question.

En pratique, les lois provinciales ont favorisé l'établissement de systèmes scolaires déterminant, de diverses façons, comment l'Église et l'État se partageraient la tâche de l'éducation des enfants. Québec et Terre-Neuve ont opté pour des écoles publiques subventionnées, dirigées indépendamment et concurremment par l'Église ou par l'État. L'Ontario, la Saskatchewan et l'Alberta ont cependant choisi un système scolaire laïque, prévoyant que les écoles confessionnelles minoritaires seraient financées à même les fonds publics. La Colombie-Britannique et le Manitoba optèrent pour un système scolaire laïque. Les écoles confessionnelles reçoivent une subvention partielle en Colombie-Britannique, depuis 1977. Enfin, bien que le Nouveau-Brunswick, la Nouvelle-Écosse et l'Île du Prince-Édouard aient, selon la loi, subventionné les seules écoles non confessionnelles, en pratique, ces provinces ont aussi fait place aux écoles confessionnelles.

Contestations dans les provinces

De mémorables contestations juridiques, d'importance historique, ont eu lieu en raison de ces aménagements dans les provinces. Presque toutes les provinces peuvent parler de causes qui leur sont propres. Mais la *Charte* semble avoir marqué un point tournant. Elle peut renverser le pouvoir qu'ont les provinces de réglementer le rôle de la religion à l'école. Elle a fourni la plus belle occasion d'une collaboration historique entre l'Église et l'État en éducation. Et, fait notable, la *Charte* a fait cela de façon relativement rapide.

Comment la *Charte* a-t-elle fait cela ? Disons brièvement qu'elle assure d'abord « la liberté de conscience et de religion », puis elle établit que « chacun est égal devant et selon la loi, et que chacun a le droit à... un bénéfice égal selon la loi sans discrimination fondée sur... la religion ». Ces stipulations de la *Charte* ont été utilisées par les parents pour atteindre des buts diamétralement opposés jusqu'ici. Quelques-uns, comme le pasteur Jones en Alberta et Adler en Ontario, les ont utilisées pour obtenir le soutien d'écoles confessionnelles appartenant à une religion ou à une autre. D'autres, comme Russow en Colombie-Britannique, les ont utilisées dans une perspective athée, pour obtenir l'exclusion de toute influence chrétienne et religieuse dans les écoles publiques.

Il faut aussi noter que les contestations juridiques ont provoqué quelques alliances non orthodoxes entre des groupes religieux à allégeances très différentes. Par exemple, dans un cas, les parents de convictions religieuses hindoue, chrétienne réformée, musulmane, mennonite et sikh, ont soumis collectivement à la Cour de l'Ontario une pétition pour obtenir le soutien d'écoles confessionnelles pour leurs enfants. Les parents qui ont cherché à exclure toute influence chrétienne, à inclure d'autres influences, ou à n'accepter aucune influence religieuse, semblent avoir tiré le meilleur parti de la *Charte*.

À partir des causes produites en cour jusqu'ici, les magistrats ont apporté d'importantes interprétations de la *Charte* en regard de la religion et des écoles. Quelques-uns de ces points importants sont présentés ici :

1. Bien que la *Charte* ne défende aucun enseignement à incidence religieuse dans les écoles publiques, elle défend tout endoctrinement religieux. Et l'enseignement religieux, tel que réalisé dans beaucoup d'écoles subventionnées par l'État, par exemple en Ontario, constitue généralement une forme d'endoctrinement.

2. Les pratiques religieuses (par exemple, la récitation du Notre Père, le chant d'hymnes religieux) violent la liberté de conscience

et de religion des étudiants et des professeurs non chrétiens. Les règlements qui les exemptent d'assister aux exercices religieux les stigmatisent et deviennent dès lors discriminatoires et illégaux.

3. L'argument soutenant que l'enseignement religieux, réalisé dans une perspective chrétienne, sert à promouvoir la morale et ses valeurs, ne justifie pas selon la loi la continuation de la pratique. Le « mal » qu'il y a à violer la liberté religieuse des non-chrétiens dans une salle de classe l'emporte sur le « bien » qui pourrait découler du fait d'être soumis à un enseignement religieux.

4. Un programme d'enseignement religieux n'a pas sa place dans une école publique, laïque et non confessionnelle. Un compromis qui tente d'inclure d'autre matériel d'enseignement émanant de nombreuses confessions religieuses, ne répond pas aux exigences de la loi. Quand le conseil d'une école en Ontario ajouta à son programme d'enseignement religieux du matériel émanant des religions bahá'íe, hindoue, islamique et juive, en vue d'établir un équilibre, le juge estima que l'inspiration du programme était et demeurait encore chrétienne et qu'ainsi elle était offensante pour les non chrétiens.

5. À moins qu'il y ait eu appui constitutionnel donné à l'enseignement confessionnel, une province n'a nullement l'obligation de soutenir de ses deniers l'enseignement religieux. En Ontario, seule la confession minoritaire catholique romaine peut légalement être subventionnée à même les fonds publics. En Colombie-Britannique, les écoles confessionnelles, qui tombent dans la catégorie des écoles indépendantes, peuvent maintenant recevoir pour chaque enfant jusqu'à 50 pour cent de la bourse d'étude octroyée à un étudiant du système scolaire public laïque. À Terre-Neuve, environ cinq confessions religieuses reçoivent présentement la totalité de la subvention publique.

6. Bien que, dans certaines provinces, on protège le droit des groupes religieux minoritaires de faire éduquer leurs enfants dans des écoles confessionnelles aux frais de l'État, cela s'applique seulement aux groupes minoritaires catholiques en Ontario et protestants au Québec.

7. Les écoles ayant une affiliation religieuse peuvent continuer d'exister aussi longtemps qu'elles se conforment à la politique et

aux règlements de la province. Il n'y a pas d'obligation cependant pour une province de subventionner ces écoles.

Pour ceux et celles qui considèrent ces développements au point de vue des libertés civiles, ces décisions et ces changements doivent être encourageants et satisfaisants. Les croyants au contraire, et particulièrement les chrétiens, doivent s'en préoccuper.

Questions importantes en regard de l'avenir

En dehors de la croyance religieuse des personnes, il existe des questions importantes que l'on doit aborder et auxquelles on doit répondre. Par exemple : « La religion ou la foi ont-elles un rôle à jouer dans l'éducation des enfants ? » « Peut-on réaliser l'éducation morale en dehors d'un contexte religieux, et si oui, comment ? » « Au sein de notre société multiculturelle et dans le cadre constitutionnel actuel, quels sont les arrangements que l'on pourrait raisonnablement faire pour l'enseignement religieux ? » « Si les valeurs religieuses et les valeurs chrétiennes en particulier sont rejetées, avec quoi les remplacera-t-on ? » « L'humanisme laïque et d'autres croyances philosophiques ou idéologiques ne deviendront-ils pas eux-mêmes des religions, bien qu'on ne les reconnaisse pas habituellement comme tels ? »

La *Charte* a été, sans aucun doute, et elle continuera d'être un puissant instrument de changement dans le domaine de la religion dans les écoles. Mais ce n'est pas nécessairement mauvais. Cela pourrait être une bénédiction déguisée si les « problèmes » que la religion a engendrés nous aidaient à nous centrer sur les perspectives d'avenir. La *Charte* n'est pas forcément antireligieuse ou, plus particulièrement, antichrétienne. Bien qu'elle prohibe tout enseignement religieux subventionné dans les écoles non confessionnelles, elle garantit en général la liberté religieuse. Pour la première fois, elle donne aussi une voix aux parents en matière d'éducation, privilège qu'ils n'avaient pas auparavant.

La pratique du christianisme, le principal point de litige jusqu'ici, est garantie constitutionnellement et peut continuer d'avoir cours sans l'interférence indue de l'État. La religion à l'école est admissible, mais de nouveaux arrangements doivent être pris pour le permettre. À titre de chrétienne pratiquante, j'espère qu'il y aura une présence authentiquement chrétienne à l'école publique.

CHAPITRE 8

LA CHARTE AU SEIN DE LA CLASSE : L'ENSEIGNEMENT RELIGIEUX DANS LES ÉCOLES PUBLIQUES

Glenn Smith

Une des questions le plus chaudement contestées en éducation publique aujourd'hui est la suivante : « Quelle place l'enseignement religieux doit-il avoir à l'école ? » À titre de parents de trois filles qui fréquentent les écoles publiques à divers niveaux, ma femme et moi avons dû faire face à maints problèmes touchant cette question. Nous avons dû tenir constamment compte de la position de beaucoup de professeurs du Québec urbain aujourd'hui : « Il y a trop de points de vue religieux différents dans la classe ; je n'enseignerai donc rien. » Ou bien, nous entendons dire souvent : « Oh ! il y a des années que j'ai rejeté la religion ; ainsi, je ne sais vraiment pas quoi enseigner. » J'ai toujours été étonné de ce que les professeurs qui parlent ainsi ne saisissent pas que tout un chacun a sa propre vision du monde et que cette vision transparaît à travers chaque cours du programme scolaire. Nous constatons souvent que l'enseignement à l'école banalise les croyances religieuses et fait de la foi un élément folklorique.

Des articles, bons et nombreux, portant sur la dimension pédagogique de la question[1] que soulève cet article ont été publiés, mais que dire des dispositions légales qui régissent l'enseignement religieux dans les écoles publiques du Canada ?

Cet article examinera, d'un point de vue chrétien, les principaux aspects de cette question. Bien que l'éducation soit de juridiction provinciale en ce pays, il existe d'importants principes philosophiques et juridiques qui peuvent aider la communauté de foi. Dans ce survol, j'aimerais montrer comment les différentes chartes des droits peuvent aider les parents qui cherchent à influencer les décisions qui concernent la loi et qui désirent faire les bons choix au sujet des cours que prendront leurs enfants. Ces considérations nous aideront à prendre part à la mission éducative.

La question a provoqué un immense débat, l'an passé, à travers le Canada. Par exemple, le ministère de l'Éducation en Ontario a publié un excellent document[2] qui explore la question en ce qui a trait à la pédagogie et au programme. La présentation historique du document et la définition de la religion sont d'un précieux secours pour orienter le débat dans cette province. Le Québec, qui a longtemps joui du meilleur programme d'enseignement moral et religieux au Canada[3], se trouve présentement au cœur d'un débat sur la « laïcité » qui comprend des suggestions du plus important syndicat de professeurs soucieux de rénover le programme. Dans une récente publication, le « Groupe de travail sur les profils de formation au primaire et au secondaire » a recommandé au ministre de l'Éducation de retirer du programme toute éducation religieuse[4]. Comme nous le verrons plus tard, cela contredit l'essence même de la *Loi sur l'instruction publique* au Québec et la *Charte des droits et libertés de la personne du Québec*.

La mission d'éducation

Quand Platon rêvait d'une république idéale, il n'a pas commencé par traiter de structures sociales et de lois ; il a plutôt fondé son gouvernement sur l'éducation des enfants. Platon a compris que le perfectionnement de la société ne pourrait être atteint sans que l'esprit et le cœur de ses citoyens ne soient cultivés avec soin. Ce développement doit prendre place au cours des années formatrices de la vie et il est défini par la famille, la communauté de foi, la cité et, bien sûr, par l'école.

Dans la plupart des cultures, le système d'éducation joue un rôle significatif. Dans la plupart des sociétés industrielles, c'est le principal agent de socialisation. À la veille du XXIe siècle, ce développement holistique peut constituer la plus précieuse ressource d'un peuple. En raison de l'énormité de la tâche, l'école ne peut elle-même rencontrer tous les besoins éducatifs des citoyens d'une province, ni remplir seule la mission éducative d'une société. Mais elle y joue un rôle fondamental.

À l'heure d'un grand bouleversement social, il est important de déterminer qui sont les divers partenaires de l'éducation des enfants. On peut les trouver dans le milieu de vie culturel (la famille élargie), dans le milieu religieux, les services sociaux et les institutions culturelles, les sphères politique et économique, ainsi que dans les réseaux de communication communautaires. C'est dans tous ces milieux que l'éducation trouve sa mission et contribue au développement de ses citoyens ; cette formation qui comprend l'information, les talents et les attitudes, est souvent perçue comme l'être, le savoir et le faire.

Tout en reconnaissant qu'il y a divers partenaires dans le monde de l'éducation, on doit reconnaître que la responsabilité première incombe aux parents. La communauté de foi soutient que les parents ont la merveilleuse responsabilité de faire connaître la création à leurs enfants, de les amener à y vivre et à en prendre soin. Ce rôle capital ne saurait s'exercer isolément, à l'écart des autres partenaires. Les parents ne peuvent se départir de leur responsabilité et l'abandonner à la communauté des croyants ou à l'État, pas plus que ceux-là ne devraient l'usurper. Toutefois, la question demeure : quelle est la part des parents dans l'éducation de leurs enfants ? Quand il s'agit particulièrement d'enseignement moral et religieux, domaine privilégié de l'intégration de la foi et de la formation générale, peuvent-ils réellement se faire entendre ?

Les dispositions de la Charte

De plus en plus, les structures provinciales évoluent de façon à donner une crédibilité juridique au principe voulant que les parents aient la responsabilité première, et donc des choix précis, quant à l'éducation de leurs enfants. Le maintien de cette responsabilité s'enracine manifestement dans la légitimité de la question. De plus en plus, on fait appel aux dispositions des chartes et aux déclarations nationales et internationales. Et pourtant, comme le déclare Bruce Wilkinson : « Il y a tendance parfois à atténuer, à minimiser l'importance de ces dispositions, ou à n'y faire qu'une vague référence[5]. »

Le premier document, et le plus important, est certainement la *Déclaration universelle des droits de l'homme* des Nations Unies. Divers articles[6] de la Déclaration réfèrent aux principes sur lesquels s'appuie le présent exposé. Le plus clair stipule que « les parents ont prioritairement le droit de choisir le type d'éducation qui sera donné à leurs enfants » (art. 26.3).

De toute évidence, le Canada a souscrit à ce document. La Convention des Nations Unies sur les droits de l'enfant, qu'a signée le Canada en 1990, affirme les mêmes principes.

Il est aussi important de souligner un troisième document qui est un traité juridique. L'*Alliance internationale sur les droits économiques, sociaux et culturels* fut adoptée par les États-Unis en 1966, et signée par le Canada en 1976. L'article 13 (3) se lit comme suit :

« Les États participant à la présente alliance s'engagent à respecter la liberté des parents et, le cas échéant, des gardiens légitimes, de choisir pour leurs enfants des écoles autres que celles qu'a établies l'autorité publique, et qui se conforment aux normes éducatives minimales telles qu'émises ou adoptées par l'État, afin d'assurer l'éducation religieuse et morale de leurs enfants conformément à leurs propres convictions. »

Comme le déclare Wilkinson : « À eux trois, ces documents établissent clairement que tandis que l'instruction devient obligatoire, elle doit être également libre et engendrer le respect des valeurs familiales et autres[7]. »

Étude d'un cas provincial

Dans le contexte canadien, l'éducation au Québec a un caractère unique. Nous avons déjà fait allusion aux moyens dont disposent les programmes d'enseignement moral et religieux. Dans ses dispositions législatives en vue d'une participation des parents, le Québec trace de nouvelles voies au Canada[8]. Mais c'est dans le cadre des dispositions légales qui régissent l'enseignement religieux dans les écoles publiques que nous trouvons les applications spécifiques de la *Charte des droits et libertés de la personne du Québec*. Le Québec est la seule province au pays à avoir sa propre charte. Les articles 40, 41 et 42 traitent de préoccupations éducatives. L'article 41 se lit comme suit :

« Les parents ou les personnes qui en tiennent lieu, ont le droit d'exiger que dans les établissements d'enseignement public, leurs enfants reçoivent une éducation religieuse ou morale conforme à leurs convictions, dans le cadre des programmes prévus par la loi. »

Quand le gouvernement provincial révisa la *Loi sur l'instruction publique* en 1988 (projet de loi 107), les droits des parents et des enfants ont été incorporés dans les premiers articles du projet de loi. L'article 5 du projet de loi 107 se lit comme suit :

« L'élève autre que celui inscrit aux services éducatifs pour les adultes, *a le droit de choisir, à chaque année, entre l'enseignement religieux et moral, catholique ou protestant, et l'enseignement moral.*

Il a aussi le droit de choisir, à chaque année, entre l'enseignement moral ou religieux d'une confession autre que le catholicisme ou le protestantisme où un tel enseignement se donne à l'école.

Au primaire, et pendant les deux premières années du secondaire, les parents exercent ce choix pour leurs enfants. »

Il est important de souligner ici que les parents choisissent le programme qu'ils veulent pour leurs enfants. Ce droit ne relève pas de la Commission scolaire qui endosse les programmes du ministère de l'Éducation, ni de la direction de l'école qui établit l'horaire des cours des étudiants, ni du professeur qui distribue l'enseignement. Dans le domaine de l'enseignement moral et religieux au Québec, où chaque étudiant doit avoir cent minutes par semaine d'enseignement moral et religieux au niveau primaire, et cinquante heures par semestre au niveau secondaire, ce sont les parents qui choisissent quel programme leurs enfants suivront. Il s'ensuit que les professeurs peuvent aussi choisir de ne pas enseigner le programme, ce qui est compris dans les articles 20 et 21 de la même loi. Une fois qu'on en aura fini avec le débat juridique sur la confessionnalité des commissions scolaires et des écoles en particulier au Québec, je prévois que chaque institution de la province offrira les trois options en raison des choix que la *Charte* garantit aux parents. Voilà de bonnes nouvelles pour l'éducation !

Inutile de dire que ces points de la *Charte* et ces dispositions juridiques n'apportent pas de réponse à toutes les préoccupations de la communauté de foi au sujet de l'enseignement de leurs enfants dans les écoles publiques subventionnées par l'État, mais ils mentionnent les énormes avantages dont jouit chacun pour l'application de principes bibliques dans une société civile.

Notes du chapitre 8

---

1. Donald B. Cochrane, « The Stances of Provincial Ministries of Education towards Values / Moral Education in Canadian Public Schools in 1990 », *Journal of Moral Education,* Vol 21, No 2, 1992, p. 125-137.

2. *Education About Religion in Ontario Public Elementary Schools : Resource Guide 1994*, Toronto, Queen's Printer, 1994.

3. Cochrane note que les dispositions statutaires du Québec sont « sans pareilles » au Canada (129). Il ajoute que « seul le Québec offre une politique vigoureuse de promotion d'une dialectique morale qui soit appuyée par une collection de documents de premier ordre » (130).

4. *Préparer les jeunes au XXIe siècle.* MEQ : Gouvernement du Québec, 1994. *« Le groupe souscrit donc à l'idée d'une école non confessionnelle reconnaissant l'existence d'une dimension religieuse et éthique dans l'expérience humaine et donnant à tous les élèves du primaire un enseignement de morale naturelle »* (p. 29 et p. 37 pour le secondaire).

5. Bruce W. Wilkinson, *Educational Choices : Necessary, But Non Sufficient,* Montréal, IRPP, 1994, p. 46.

6. Les autres articles de la Déclaration universelle des droits de l'homme des Nations Unies qui traitent d'éducation incluent les art. 19, 21 (2), 26 (1) et (2).

7. Wilkinson, p. 47.

8. Yvonne M. Martin, « A Comparative Legislative Analysis of Parental Participation in British Columbia, Alberta and Quebec », *Education and Law Journal*, Vol. 4, no 1, 1992, p. 61-85.

❖❖❖❖❖❖❖❖❖ CADRE CONTEXTUEL ❖❖❖❖❖❖❖❖❖

CHAPITRE 9

VIVRE LE PLURALISME DANS LA SOCIÉTÉ QUÉBÉCOISE

Glenn Smith

Que les chrétiens au Québec aient à faire face à la diversité sur divers plans est un fait que peu de gens peuvent contester. Les trente-cinq dernières années ont vu un accroissement spectaculaire du nombre de personnes qui, tout en vivant ensemble dans une même communauté, partagent différentes origines ethniques et croyances religieuses, des styles de vie et des points de vue différents. Toutes partagent notre culture publique. L'accroissement de cette diversité continuera sans doute dans les années à venir, particulièrement dans notre système scolaire.

De nombreux chrétiens du Québec regardent cette diversité culturelle, religieuse et idéologique et la panique s'empare d'eux. Ils trouvent la situation si différente de celle qu'ils ont connue quand ils allaient à l'école, qu'ils cherchent une direction. *Comment peut-on penser chrétiennement au sujet de cette diversité ?*

Cet article se propose d'aider les parents en particulier, à comprendre les problèmes reliés à la diversité en éducation, et à leur fournir quelques idées sur la façon de faire l'éducation de leurs enfants quand d'autres semblent ignorer ou même saper leur point de vue. Mais avant de nous attaquer à cette question, nous sentons le besoin de définir clairement les problèmes[1] afin d'en mieux saisir les implications.

La diversité culturelle fait allusion à la présence dans la société de concentrations croissantes de gens venus d'autres pays ou ayant d'autres racines ethniques. Bien que le Canada soit enclin à se définir historiquement comme ayant deux peuples fondateurs, aujourd'hui, c'est l'image d'une véritable mosaïque qui s'impose. Au Québec, par exemple, 168 pays sont représentés par près de 200 000 étudiants dans les huit commissions du Conseil scolaire de l'île de Montréal. Une immigration d'abord européenne a évolué et s'est transformée en un mouvement à dimension vraiment planétaire.

La diversité religieuse est aussi à l'ordre du jour. Le vieux schème de pensée voulant que le Québec anglophone soit protestant et que le Québec francophone soit catholique romain, a fondamentalement changé. Bien que 92 pour cent des Québécois s'identifient encore comme chrétiens, la diversité des affiliations religieuses s'accroît[2] de plus en plus.

Que 16 pour cent des Canadiens choisissent d'inscrire « aucune » ou « autres religions du monde », pour définir leur propre affiliation religieuse, marque un changement dramatique avec les années précédentes. De 1961 à 1981, au plan national, le pourcentage est passé de 1 pour cent à 7,3 pour cent. Aujourd'hui, en Colombie-Britannique seulement, 20,5 pour cent de la population n'indique aucune affiliation religieuse. En fait, Vancouver étale une désaffiliation religieuse plus marquée qu'en aucune autre ville canadienne.

Le pluralisme a aussi une troisième dimension dont on parle souvent comme d'un *pluralisme idéologique*. Quant à l'hypothèse fondamentale que l'on forme sur la façon dont le monde fonctionne, un consensus antérieur au sujet des croyances fondamentales a cédé la place à ce qu'on appelle souvent le *relativisme*. Aujourd'hui, la société québécoise nous encourage à être « tolérants » et dans toutes nos façons de penser, à comprendre qu' « il y a diverses façons de croire et de se comporter, et que toutes sont également vraies ». Un sondage a récemment soulevé la question : « Le bien et le mal sont-ils une question d'opinion personnelle ? » Le graphique qui suit illustre combien le pluralisme idéologique domine la scène canadienne au sujet de cette question fondamentale.

LE BIEN ET LE MAL RELÈVENT DE L'OPINION PERSONNELLE
Pourcentage de ceux qui en *conviennent fortement* ou de ceux qui en *conviennent modérément.*

• *Selon les régions*

Niveau national	CB	Alta	Man/Sask	Ont	Qc	Atlantique
57	54	53	59	54	65	54

• *Selon l'âge*	18-34	35-54	55+	**• *Selon le sexe***	*Femmes*	*Hommes*
	65	52	54		61	54

• *Selon la pratique religieuse*

National	Hebdomadaire	mensuelle	occasionnelle	jamais
57	49	52	63	59

• *Selon l'affiliation religieuse*

C.R.	Ang.	Unie	Luth./Pres.	cons.	rel. du monde	aucune
60	51	49	60	46	59	64

La firme Angus Reid, juillet 1994. N= 1502

Définition des problèmes

Tout au cours de l'histoire, la plupart des êtres humains ont vécu toute leur vie dans un milieu culturel unique et singulièrement uniforme. Ce n'est certainement plus le cas. Les progrès technologiques (par exemple, télévision et internet), une économie internationale croissante et la rapidité du transport qui nous mène ailleurs en quelques heures à peine, ont effectivement unifié la planète. En conséquence, au Québec aujourd'hui, nous vivons coude à coude avec des gens de culture, de croyance religieuse et de mœurs différentes. On insinue maintenant que cette pluralité de croyances et de valeurs est justifiée et valable pour tous les aspects de la vie – intellectuel, culturel et religieux. L'assertion qu'un groupe puisse se réclamer exclusivement de la vérité est au mieux considérée comme « un point de vue unique » et au pis aller, comme arrogante et impérialiste.

Il importe aux chrétiens de comprendre le mouvement historique et philosophique en faveur de la diversité que nous appelons aujourd'hui le pluralisme. Les racines de cette approche de la vie se sont développées sous l'influence du XVIIIe siècle, quand la philosophie européenne a misé sur le pouvoir de la raison pour assurer un fondement à la connaissance. On parle souvent de cette confiance comme du *rationalisme.* L'idée du caractère essentiel de la révélation divine fut progressivement rejetée. Pendant plus de deux siècles, on a âprement débattu de la façon de trouver rationnellement la « vérité vraie », et une morale basée sur la seule raison. Ce mouvement a fait naître une confiance implicite dans la science comme étant la réponse à tous les problèmes de l'humanité.

Mais au siècle dernier, des fissures ont commencé de miner la confiance que les gens étaient prêts à mettre dans le rationalisme. Un nouveau mouvement s'est fait jour, appelé *romantisme,* qui a tenté de cerner la conscience d'un Dieu présent en chacun de nous. Un philosophe a écrit en réaction au rationalisme scientifique de cette époque : « L'homme n'est que faiblesse s'il cherche de l'aide en dehors de lui. C'est seulement quand il plonge sans hésitation en Dieu présent en lui qu'il connaît sa propre force[3]. » Même les peintres et les poètes du mouvement du XIXe siècle appelé *symbolisme*, ont décrit le désespoir d'un monde dont la pensée et la science se fourvoyaient. Selon eux, aucun espoir n'était possible ni en dedans, ni en dehors.

De plus en plus, les auteurs ont critiqué l'univers moderne de la raison et de la science et n'ont vu aucun espoir d'une vérité unique, externe et transcendante. Jean-François Lyotard a déclaré :

> *Mon argument est que le projet moderne (de réalisation de l'universalité) n'a pas été abandonné, oublié, mais détruit, « liquidé ». Il y a plusieurs modes de destruction, plusieurs noms qui en sont les symboles. « Auschwitz » peut être pris comme un nom paradigmatique pour l'« inachèvement » tragique de la modernité*[4].

La position postmoderne de philosophes comme Lyotard affirme que rien ne peut être connu avec certitude, que l'histoire est sans utilité, que les histoires universelles ou les quêtes de vérité doivent être abandonnées, tout étant relatif. La vérité est insaisissable, intime, subjective, et même polymorphe.

Il n'est donc pas difficile de saisir que le pluralisme, en ce sens, constitue en soi une idéologie ou une philosophie de la vie. Ainsi, le pluralisme ne fait pas que décrire un état de choses, mais il indique une tendance vers un mode de vie où prime le relativisme.

Saisir les répercussions

Le pluralisme idéologique, tel que nous l'avons décrit plus haut, ressort avec évidence dans l'éducation dispensée au Québec aujourd'hui. Ce fait à lui seul donne de l'importance à la présente discussion. Mais nous devons, avant d'aborder la discussion des répercussions (à la lumière de nos définitions), comprendre le rôle que joue l'école dans la culture canadienne aujourd'hui.

Avec la marginalisation de la signification sociale de la religion, l'Église n'est plus perçue comme une structure de société qui aide les gens à croire. Selon une étude nationale portant sur le monde des adolescents, en réponse à la question suivante : « À qui demanderiez-vous de l'aide pour une décision à prendre quant à l'argent, l'amitié, la sexualité, le bien et le mal, l'école, votre vocation, ou un grave problème[5] ? », seulement quatre pour cent des adolescents ont indiqué qu'ils consulteraient un prêtre ou un ministre.

De même, la famille québécoise a évolué de multiples façons depuis les trente dernières années. En conséquence, on demande à l'école de nourrir les enfants pauvres, de fournir des garderies de jour, de s'occuper des éventuels décrocheurs, et aussi d'intégrer les enfants immigrés dans la culture canadienne. Et tout cela au sein d'un monde universel fait de compétition, où la performance en mathématiques, en informatique et en sciences est exigée.

Tout cela signifie qu'on ne demande pas seulement à l'école locale d'enseigner aux enfants, mais aussi de donner de la « crédibilité » à toutes sortes de sujets – y compris la question de la vie elle-même. La bataille (au vrai sens du mot) que les Québécois livrent pour définir la conception de la vie, se joue dans la salle de classe jour après jour.

Dans le but de saisir pleinement la façon dont on milite en faveur du pluralisme idéologique à l'école, il faut nous attarder aux discussions qui entourent les problèmes qui nous concernent. De plus en plus, la société québécoise fait une distinction entre le monde *public* des « faits » et le monde *privé* des « valeurs ». Dans le premier cas, on discute de « vérité » et de questions considérées comme objectives et scientifiquement vérifiables. C'est ce que nous *savons*. Dans le deuxième cas, on discute de croyances, et les questions qu'on considère sont subjectives. C'est ce que nous *croyons*.

Qu'advient-il quand la religion, par exemple, devient l'objet d'un programme d'étude ou d'un problème de subvention d'écoles privées à caractère religieux ? Un éditorialiste du *Globe and Mail* de Toronto, Michael Valpy, traduit ainsi son point de vue :

> *Dans une société libérale, la religion fait partie d'une culture particulière, d'une famille, d'un lieu de foi. Elle n'appartient pas au système d'écoles publiques qui est notre instrument le plus important de socialisation, de citoyenneté et de communauté, mis à la disposition de tous*[6].

Selon Valpy, cela « ne compromet en rien le droit des Canadiens de pratiquer leur foi et d'élever leurs enfants dans leur propre foi[7] ».

Ainsi, la religion est exclue du « monde public des faits » dans l'institution première visant à construire la communauté. Mais nous devons revenir en arrière, regarder et reconnaître que l'opinion de Valpy est elle-même une sorte d'« idéologie » ou de « religion ».

En tant qu'êtres humains, nous vivons selon un ensemble fondamental de croyances, de valeurs ou d'idées de fond qui imprègnent et orientent nos actions. Nous agissons dans notre milieu selon une « vision du monde » qui donne sens à notre vie et détermine notre façon de vivre. Les croyances religieuses de quelqu'un font partie intégrale de cette vision du monde.

La religion ou l'idéologie constitue l'engagement ultime qui donne à la vie une direction personnelle et communautaire. C'est ce qui importe le plus à une personne, une communauté, un groupe ou une institution. Elle inspire la vision du monde qui préside à la formation de tout projet politique ou, pour la même raison, de toute entreprise humaine à caractère public. Quiconque estimerait que la réflexion publique est, d'un point de vue religieux ou idéologique, neutre ou privée, soulèverait mon profond désaccord.

La religion traite de spiritualité. Elle se situe au cœur même de notre nature humaine. Nous naissons avec des questions telles que : *Qui suis-je ? Quelle relation ai-je avec les autres êtres humains ? avec le monde environnant ? avec Dieu ? Comment donner sens au monde ?* Il nous faut répondre à ces questions de sorte que nous puissions donner à nos vies un sens et un but.

Il est donc impossible de séparer les valeurs de l'idéologie et de la religion, et de les retirer du domaine public. La religion est ce que chacun croit d'une ultime importance. Ainsi, l'éducation, qui traite des questions d'ultime importance, a une dimension religieuse car elle est fondée sur des valeurs. Les tentatives de retirer la religion de l'éducation s'enracinent dans une idéologie qui n'est pas neutre et qui présume que la religion devrait être dissociée de la vie publique.

Cette idéologie (ou cette religion telle que nous la décririons) est imbue d'un sécularisme implicite que *Webster* définit comme « une vision de la vie ou de tout sujet particulier basée sur le principe que la religion et les considérations religieuses doivent être délibérément ignorées ou exclues ».

Les chrétiens réagissent continuellement face à l'exclusion de la religion de la vie publique. Certaines personnes cèdent consciemment au pluralisme culturel, religieux ou idéologique, acceptent son influence et abandonnent leurs propres traditions et croyances. D'autres négocient avec la diversité, essayant de décider ce qu'elles peuvent garder et ce qu'elles doivent laisser tomber afin de fonctionner dans un milieu pluraliste. Certaines personnes se protègent défensivement et cherchent à se retirer dans une forteresse où toutes les anciennes normes et doctrines peuvent être respectées, tous les anciens comportements retenus. Enfin, d'autres personnes réagissent offensivement et cherchent à réaménager la société et à la ramener à la tradition qui, selon eux, existait avant que le pluralisme idéologique actuel ne fasse obstacle à leur façon de penser et invite tout un chacun à opter pour le relativisme.

Penser et agir chrétiennement au sein de la diversité

Comment les parents chrétiens peuvent-ils poursuivre l'éducation de leurs enfants au milieu de la diversité ? Il est important de comprendre la perspective de certains thèmes sous-jacents qui caractérisent le pluralisme idéologique, avant de pouvoir honnêtement nous engager dans des conditions de vie toujours changeantes.

Le pluralisme avance des hypothèses plutôt étonnantes au sujet des croyances religieuses. « Tous les points de vue sont estimés également valables. » « Toutes les religions mènent à Dieu. » « Tout ce dont on a besoin, c'est d'être sincère. » Ce type de discours en faveur d'une philosophie de la vie se défend mal parce qu'il cherche à accommoder toutes les traditions religieuses en écartant délibérément toutes les doctrines distinctes qui confèrent à la foi une nette identité, sans parler de la grande liberté qu'on se donne de réduire les autres traditions religieuses à des points de vue qui conviennent.

Plus encore, favoriser ce type de relativisme, c'est à la fois être désuet dans sa compréhension de l'« *objectivité* » et faire preuve d'une étonnante arrogance. Les avocats du pluralisme rejettent le dogmatisme et plaident en faveur de leur point de vue à partir du principe que nous vivons dans une communauté planétaire. Selon cette perspective, toutes les religions ont une « âme commune ». Cependant un autre auteur affirme que « dans le respect (d'une telle) objectivité au cœur de toute pratique scientifique, se trouve la conviction implicite que l'objet du savoir est séparé du savant et du chercheur... qu'il demeure séparé et inchangé tout au long du processus de quête d'information et de recherche. Le savoir est inévitablement le produit du mélange d'éléments subjectifs et objectifs. » Qu'est-ce que cette « âme commune » quand le fondamentaliste d'une foi religieuse s'empresse, au nom d'une déité quelconque, de tuer le croyant d'une autre tradition ?

C'est pour cela qu'on accuse le pluralisme idéologique d'appuyer son action sur un fondement moral étriqué et d'être allergique aux questions portant sur la nature de la vérité. Comme C. S.. Lewis le déclarait de façon si émouvante :

> *Le Dieu dont personne ne croit les dogmes n'est qu'une ombre. Il ne suscitera pas la crainte du Seigneur par où commence la sagesse, et ne produira donc pas l'amour où elle se consume. Dans cette religion servile, il ne se trouve rien qui puisse convaincre, convertir ou consoler. Il ne s'y trouve donc rien qui puisse redonner vitalité à notre civilisation. Elle n'est pas assez exigeante. Elle ne pourra jamais venir à bout de notre paresse et de notre cupidité naturelles ni même se mesurer à elles*[8].

Le parent chrétien qui veut vivre dans un contexte de pluralisme idéologique (dans le système d'éducation), s'attaque à une lourde tâche mais son ambition est noble. Le processus d'intégration doit commencer par l'engagement à contribuer activement au développement d'une culture publique commune. Cela signifie que nous voudrons articuler ensemble les valeurs de base, les « règles du jeu » et les institutions essentielles qui devront être pour tous une source d'inspiration profonde pour vivre dans la société canadienne, et un ciment d'unité et de cohérence sociale dans notre culture. Cette culture commune inclut évidemment l'engagement à respecter la *Charte des droits et libertés de la personne du Québec* et la *Déclaration universelle des droits humains des Nations Unies*. Il y a aussi des valeurs fondamentales que nous voudrons retenir, par exemple, la démocratie, la liberté, l'égalité et la solidarité. Les « règles du jeu » incluent le civisme et le respect des minorités. Tous les chrétiens travailleront au bien commun parce que le Créateur a répandu à profusion sa grâce sur tout le cosmos en signe de sollicitude pour le monde.

Notre tâche inclura aussi l'entrée en dialogue avec les autres partenaires de notre système d'éducation si diversifié aujourd'hui. Nous ne suggérons pas un simple échange d'idées avec ceux qui partagent divers points de vue, pas plus que nous sommes en faveur de la promotion d'une polémique active qui déboucherait sur des accusations de prosélytisme. Le dialogue en milieu pluraliste se traduit aujourd'hui, au plan de la vérité, par une interaction sérieuse et sans contrainte entre les diverses prétentions à la vérité.

Un tel dialogue s'enracine dans le développement d'une compréhension intellectuelle entière et mutuelle, et dans un respect des diverses nuances et subtilités, particulièrement dans le domaine des multiples « valeurs de vie » au sein d'une culture que partagent de nombreux groupes ethniques. Le dialogue inclut le développement, au sein de notre culture commune, d'attitudes et de mentalités qui accueillent la variété des diverses cultures, des différents styles de vie dans la société et qui regardent cette diversité comme un enrichissement de la vie humaine. Un tel dialogue est un processus où s'inscrira un échange respectueux sur les différences, pas un accueil d'opinions partagées et tolérées au plan intellectuel seulement .

Réfléchir et vivre au sein d'un milieu en constante effervescence, n'est pas chose facile. Dans la société québécoise actuelle, les chrétiens responsables ont la chance unique de trouver une alternative à la simple tolérance vis-à-vis des autres, attitude que notre culture, avec son racisme et son ethnocentrisme omniprésents, tend malheureusement à véhiculer.

Notes du chapitre 9

---

1. Pour une lecture plus approfondie des définitions, consultez R. Mouw et S. Griffionen, *Pluralisms & Horizons* (Grand Rapids : William B. Eerdmans, 1993) p. 13-19.
2. Consultez le tableau, à la page 194.
3. Michael Green et Alister McGrath, *How Shall We Reach Them ?*, Nashville, Nelson, 1995, p. 175.
4. Jean-François Lyotard, *Le postmoderne expliqué aux enfants*, Paris, Les Éditions Galilée, 1988, p. 32.
5. Comité protestant, Conseil supérieur de l'éducation, *Les jeunes du secteur protestant*, Québec, 1993, p. 24.
6. Michael Valpy, « Religion and the Schools », *The Globe and Mail*, Toronto, mercredi, le 25 octobre 1995, p. 19.
7. *Ibid.*
8. C. S. Lewis, *Religion Without Dogma*, dans Walter Hooper, ed., *God in the Dock : Essays on Theology and Ethics*, Grand Rapids, MI, William B. Eerdmans, 1970, p. 142-143.

CHAPITRE 10

PROGRAMMES RELIGIEUX : ENSEIGNEMENT RELIGIEUX (OU ENSEIGNEMENT SUR LA RELIGION)

Ken Badley

La Constitution canadienne (*L'Acte de l'Amérique du Nord britannique* en 1867 et *La Constitution canadienne* de 1982, art. 92) accorde aux provinces la juridiction sur l'éducation. L'attribution de cette responsabilité aux provinces signifiait qu'aucune province ne devait faire ou ne ferait l'enseignement religieux (ER) ou l'enseignement sur la religion (ESR) exactement de la même façon. La même Constitution (art. 93) accorde aux parents le droit à l'éducation confessionnelle, une disposition qui requiert plus de précision en 1996 qu'en 1867, alors que les auteurs de cette loi désiraient assurer aux catholiques romains et aux protestants l'espace juridique pour choisir le type d'école qu'ils désiraient pour leurs propres enfants. Cet article stipule, en fait, que quiconque analyse le financement et les besoins de l'enseignement religieux au Canada traite à la fois des écoles publiques subventionnées et des écoles indépendantes. Le nombre et l'importance des écoles indépendantes dans le domaine de l'éducation au Canada ont connu une certaine croissance en raison des échecs réels ou perçus comme tels dans les écoles publiques, souvent pour des questions reliées à la façon de traiter de la religion.

Survol des subventions provinciales

Nous traiterons ici de chacune des provinces, à tour de rôle, depuis l'est du pays jusqu'à l'ouest. Quelques remarques feront suite à ce survol géographique, en guise de conclusion.

Terre-Neuve est différente de toutes les autres provinces parce qu'elle garde encore un système d'éducation confessionnel (Loi de 1990, art.15). Quatre conseils ou systèmes scolaires fonctionnent selon cette disposition de la loi ; les conseils catholique romain, pentecôtiste et d'éducation intégrée (comprenant les Églises unie, presbytérienne, anglicane, moravienne et l'Armée du Salut) en sont les trois principaux. Le système de l'Église adventiste du septième jour jouit du même statut juridique que les trois autres, bien que ses écoles comptent moins de mille étudiants. La Commission royale de 1992 a recommandé que « le système scolaire soit sensible aux besoins des enfants de tous les groupes religieux et y réponde », une politique qui se traduit aujourd'hui par de nouveaux éléments de programmes, notamment dans les cycles intermédiaires et supérieurs des classes de sciences religieuses. Cette Commission royale a aussi recommandé de rationaliser les quatre systèmes scolaires. Le premier ministre de Terre-Neuve a interprété cette recommandation comme le mandat d'instaurer un seul système scolaire. Au moment où j'écris cet article, il essaie de réviser les termes de l'union de Terre-Neuve et du Canada en démantelant essentiellement le système scolaire confessionnel actuel.

La *Nouvelle-Écosse* n'accorde aucune subvention à l'ER et elle s'occupe d'ESR par voie de référence occasionnelle aux grandes religions dans diverses sections des programmes d'histoire et de sciences humaines. La place accordée à la religion dans ces programmes demeure la responsabilité de chaque professeur en Nouvelle-Écosse.

Le *Nouveau-Brunswick* permet l'ER dans les écoles, mais il doit se faire avant ou après les heures de classe. Tout comme chez sa voisine, la Nouvelle-Écosse, le Nouveau-Brunswick estime satisfaisante l'insertion occasionnelle de l'ESR dans le programme de sciences humaines.

L'*Île du Prince-Édouard* interprète l'article 52 de sa charte, qui stipule que toutes les écoles de la province « sont non confessionnelles », comme signifiant qu'aucun ER ni ESR n'auront lieu dans les écoles publiques de l'Île. Des questions touchant la religion peuvent surgir et émergent explicitement sur divers points du programme d'histoire au secondaire, mais de nouveau, chaque professeur tire parti de ces occasions comme il l'entend.

Les trois provinces de l'Atlantique, autres que Terre-Neuve, constituent presque les seuls modèles de traitement de l'ER et de l'ESR au Canada. Elles ont toujours adopté des positions qu'on pourrait dire « religieuses », en ce sens qu'elles sont incontestablement laïques. Aucune des trois provinces ne subventionne le système catholique romain. Elles n'offrent pas, non plus, de subvention aux écoles confessionnelles indépendantes, bien que l'Île du Prince-Édouard et la Nouvelle-Écosse accordent un certain soutien sous forme de manuels scolaires aux écoles indépendantes. En adoptant leur position laïque aseptisée face à la religion dans les écoles, ces trois provinces offrent un contraste frappant avec les provinces voisines de Terre-Neuve et de Québec.

Québec assure à l'enseignement religieux, les subventions les mieux définies et les plus généreuses de toutes les provinces du Canada. La Loi sur l'instruction publique de 1988 donne aux parents de tous les enfants des écoles élémentaires et secondaires, la responsabilité de choisir entre l'enseignement religieux catholique romain ou protestant, chaque année, au moment de l'inscription. Ceux qui ne désirent pas d'enseignement religieux, doivent inscrire leur enfant en éducation morale. Selon la loi, les Conseils scolaires doivent fournir l'ER là où on le demande, bien qu'en pratique voir le cours d'ER devenir une réalité dans la salle de classe n'est pas toujours évident. La possibilité d'enseigner d'autres croyances n'a pas encore subi le test au Québec, bien que la présence de nombreux musulmans à Montréal, par exemple, promet presque qu'un tel test ne tardera pas à venir. Le Québec offre aussi un soutien aux écoles indépendantes recommandées par la Commission sur les écoles privées, dont la plupart sont des collèges catholiques romains.

De nombreux Conseils scolaires en *Ontario* ont offert des programmes d'ER jusqu'en 1990, lorsque la Cour d'appel d'Ontario abolit à l'unanimité le règlement 262 portant sur l'enseignement religieux, par son jugement dit « Elgin County ». Il est à noter que ce jugement estimait que le choix de se retirer (la sortie de classe d'un élève pour échapper à l'ER) contrevenait à la Charte des droits et libertés de 1982. La réaction du ministère de l'Éducation en Ontario a outrepassé le jugement de la cour en défendant également l'ER à option libre interne (le passage dans un autre local pour recevoir l'ER). Il a depuis publié des directives pour l'ESR dans les écoles élémentaires. Il convient de noter le préjugé qui sous-tend ces directives à l'endroit des croyants religieux, comme sources fiables d'information sur la religion, un préjugé qui a commencé à s'estomper dans la sociologie de la religion, ces dernières années. L'Ontario reconnaît deux classes d'ESR dans les onzième et douzième années. On ne prévoit aucune autre classe d'ER ou d'ESR au programme.

Au *Manitoba*, la Loi sur les écoles publiques (art. 80-82) permet l'ER si les parents d'au moins 10 pour cent des enfants, ou de 25 enfants d'une école, en font la demande au Conseil scolaire. Chaque semaine, jusqu'à cent cinquante minutes peuvent être libérées pour le cours d'ER qui sera confié à une personne approuvée par les parents, comme un rabbin ou un pasteur chrétien.

La *Saskatchewan* laisse au Conseil scolaire de décider au sujet de l'ER et de l'ESR (art. 181). Ce règlement permet à la fois l'établissement d'un temps disponible pour l'ER ou le choix de se retirer d'une classe d'ER. Comme la province voisine du Manitoba, la Saskatchewan permet jusqu'à cent cinquante minutes d'ER par semaine.

La Loi scolaire de 1980 en *Alberta* (art.33.1) offre une approche semblable à celle de la Saskatchewan. Les Conseils scolaires locaux peuvent recommander un enseignement religieux et patriotique, tout comme des activités du même ordre. Les étudiants peuvent choisir de quitter la classe ou de demeurer en classe sans participer aux activités. L'*Alberta* a déclaré que le droit du ministère de l'Éducation de « défendre d'utiliser un cours, un programme d'enseignement ou du matériel d'enseignement dans les écoles » est « assujetti au droit du Conseil scolaire d'assurer l'enseignement religieux » (art.25.1.e).

Comme les trois provinces de l'Atlantique autres que Terre-Neuve, la *Colombie-Britannique* n'accorde pas beaucoup d'importance aux cours d'ER ou d'ESR dans ses écoles publiques. Les écoles publiques prévoient un ESR occasionnel à l'aide de publications et d'études sociales quand c'est approprié. Au moment où j'écris mon article, le ministère de l'Éducation de Colombie-Britannique menace le Conseil scolaire d'Abbotsford de censurer ce que les professeurs devront encourager et permettre dans les classes de sciences, en ce qui a trait surtout à la question des origines de la terre. Les interventions du ministère de la Colombie-Britannique soulignent la portée de ce qu'on pourrait appeler les clauses « nonobstant » aux Conseils locaux en Alberta. Les interventions de la Colombie-Britannique illustrent aussi une forte opposition à la vocation antérieure des écoles, qui servaient de canaux à l'enseignement religieux.

Subventions provinciales

La *Saskatchewan* subventionne pleinement les systèmes scolaires catholiques là où ils existent. L'*Alberta* le fait également, définissant comme « public » tout système qui compte de nombreux étudiants, et comme « séparé », celui qui en compte moins. Cette façon de voir n'a donné qu'un seul conseil « public catholique » qui, bien sûr, est pleinement subventionné. Les quatre provinces de l'Ouest subventionnent toutes quelques écoles confessionnelles indépendantes. Les critères et les degrés de subvention varient d'une province à l'autre (et à l'intérieur des provinces), et sont liés à des questions comme le degré d'adhésion aux programmes obligatoires à l'échelle de la province, l'ancienneté de l'école et la qualification professionnelle des enseignants. Les écoles canadiennes reçoivent des subventions à la fois provinciales et municipales (provenant des taxes sur la propriété). En aucun cas, dans les quatre provinces de l'Ouest, les fonds municipaux subventionnent-ils des écoles confessionnelles indépendantes. La « subvention », dans ces cas, relève simplement de la répartition provinciale annuelle, et les écoles indépendantes ne reçoivent qu'une portion des sommes allouées aux autres écoles. Cette portion se situe habituellement entre 30 et 50 pour cent des subventions allouées, sauf au Manitoba, où en 1997, certaines écoles indépendantes recevront 87,5 pour cent de l'allocation accordée par élève dans les écoles publiques.

Le défi multiconfessionnel

Comment les diverses provinces réagiront-elles à l'arrivée de nouveaux Canadiens qui ne se satisferont pas d'un système scolaire laïque ayant un ESR ou un temps disponible pour l'ER ? Les sikhs et les musulmans, par exemple, croient que tout enseignement, comme toute chose dans la vie, doit se faire dans le cadre de la foi. Un conseil scolaire en Ontario, avait accordé aux étudiants musulmans un lieu où ils pouvaient prier, un jour par semaine (à partir de 15 hres seulement), mais le ministère de l'Éducation a renversé cette décision locale. Une cour d'Ontario a déjà débouté une pétition sikh dont l'objet était une plus grande reconnaissance du rôle de la foi selon la perception sikh de la vie et de l'éducation (la cause « Ball » de 1994). En un mot, les autres religions n'ont pas fait de progrès jusqu'ici (sauf dans les provinces où les écoles indépendantes reçoivent une subvention provinciale).

Importance des valeurs inhérentes à la foi

Les chrétiens protestants du Canada ont cru, à travers l'histoire, que les écoles « publiques » dispensaient un contenu honnête ou une version civile des valeurs inhérentes à la foi. La sécularisation des écoles au Canada, bien qu'elle soit acceptable à beaucoup qui s'identifient encore comme protestants, a laissé les autres se demander si les catholiques romains n'avaient pas toujours, en fait, compris plus nettement la façon correcte d'aborder l'ER, en fondant leurs propres écoles. Bien qu'encore modeste, un nombre croissant de protestants placent leurs enfants dans les écoles catholiques romaines. D'autres protestants ont suivi le même chemin que certains fidèles d'autres religions : les écoles indépendantes. Bien que la presse canadienne dans son ensemble fasse davantage état de la croissance récente d'écoles indépendantes élitistes, les écoles confessionnelles indépendantes vont aussi croissant. Une partie de leur croissance est particulièrement due à l'absence de cours qui ont trait à la Bible, ou plus largement, à l'absence de cours de « religion » dans les écoles publiques subventionnées. Mais cette croissance est due aussi à la conviction, chez certains chrétiens, que toute connaissance devrait reconnaître l'intervention de Dieu à la fois dans la création et dans la connaissance.

Pendant les deux dernières décennies, les écoles canadiennes ont enseigné à une génération entière d'enfants l'importance de tolérer toutes sortes de différences. On ne peut s'empêcher de trouver ironique l'intolérance dont on fait preuve face aux différences religieuses dans le monde de l'éducation au Canada. Une telle intolérance sur la place publique fournit aux parents chrétiens l'occasion de faire connaître l'Évangile en menant une vie engagée. Mais cela appelle aussi des changements pour que soit mise en évidence dans les programmes scolaires au Canada l'importance accordée à ce qui est au cœur de la vie, et pour que les futures générations de Canadiens en saisissent la portée.

CHAPITRE 11

LE PARADIGME ÉDUCATIF DES NOUVEAUX MOUVEMENTS SOCIAUX

Bruno Desorcy

Dans l'optique d'une sociologie de la culture, cet article examine le paradigme éducatif des nouveaux mouvements sociaux. Je tente d'y démontrer que les nouveaux mouvements sociaux sont porteurs d'une nouvelle culture éducative de nature à entraîner des transformations profondes dans l'école et le système scolaire québécois.

Cette nouvelle culture éducative, le « paradigme éducatif des nouveaux mouvements sociaux », modifie radicalement le rapport des individus au savoir et à l'acte même de connaître. Elle se fonde essentiellement sur l'individualité culturelle de la personne, sur son autonomie créative et sur le recours à l'action comme mode de connaissance. On la retrouve à l'état embryonnaire dans le rapport Parent, principalement à travers certains thèmes comme la pédagogie active et la polyvalence.

Dans la réalité des faits, le paradigme éducatif des nouveaux mouvements sociaux se bute à un autre paradigme éducatif, celui qui a prédominé concrètement dans l'école québécoise au cours de son évolution. Ce dernier paradigme est tout à fait à l'opposé du premier. Basé sur une vision utilitariste de la démocratisation de l'éducation, il fait prévaloir la raison technocratique dans l'expérience éducative, surtout par l'envahissement dans la salle de classe de la bureaucratie centralisatrice du ministère de l'Éducation et des commissions scolaires.

Toutefois, malgré la présence d'un paradigme éducatif « hostile », certains changements, depuis le début des années soixante-dix, se sont opérés dans l'école et le système scolaire, allant dans la direction du paradigme éducatif des nouveaux mouvements sociaux. C'est le cas de la croissance des écoles privées depuis 1975, de la mise en place, dans le secteur public, d'écoles et de programmes spécialisés, de la création d'écoles alternatives, de l'élaboration de projets éducatifs par les conseils d'orientation, de l'émergence du concept de formation fondamentale et de son importance dans la réforme du curriculum, et enfin de l'instauration de conseils d'établissement.

Ces transformations de l'école et du système scolaire ouvrent la voie à une redéfinition possible du concept de démocratisation de l'éducation, surtout dans l'éventualité d'une influence grandissante dans l'école du paradigme éducatif des nouveaux mouvements sociaux.

Les nouveaux mouvements sociaux

Pour bien comprendre le paradigme éducatif des nouveaux mouvements sociaux, il faut d'abord reculer de quelques pas afin de jeter un coup d'œil sur l'ensemble du phénomène. Premièrement, il est nécessaire de définir ce que l'on entend par « mouvements sociaux ». Un mouvement social est une lutte collective pour des enjeux qui dépassent les intérêts propres des acteurs. Cette lutte collective doit répondre à deux autres conditions pour être considérée comme un mouvement social. Elle peut être considérée de la sorte d'abord quand il y a deux groupes qui s'affrontent, peu importe le type de solidarité qui les unit (partielle ou complète, temporaire ou permanente), ou la nature du conflit qui les oppose, et ensuite quand l'action d'un des deux opposants s'inscrit en rupture avec les modèles sociaux institués.

Les nouveaux mouvements sociaux présentent des spécificités importantes par rapport aux mouvements sociaux classiques, c'est-à-dire ceux qui s'inspiraient d'une idéologie globale pour engendrer une prise de conscience subjective des acteurs et qui gravitaient surtout autour des luttes ouvrières socialistes ou marxistes. Les nouveaux mouvements sociaux s'en distinguent sous quatre aspects.

Premièrement, les nouveaux mouvements sociaux rejettent les idéologies globales, les synthèses totalisantes, les lieux d'universalisation sociale, le « sacré » à l'échelle globale. Ce rejet se fait au profit d'un particularisme des représentations culturelles au service d'objectifs circonstanciels et de besoins existentiels, à l'intérieur de limites structurelles restreintes. Ces représentations ont pour objet de légitimer le passage direct à l'acte comme moyen de répondre efficacement aux besoins concrets et aux désirs réels de la collectivité qui entre en lutte. L'action est tellement prédominante dans les nouveaux mouvements sociaux que les représentations deviennent tributaires de l'action et non l'inverse. Comme l'écrit Jacques Lazure, on rejoint ici la pensée de Marx, au sens où c'est l'action concrète (le travail) qui définit la pensée et l'idéologie. Plusieurs auteurs mentionnent que cet éloignement de l'idéologie correspond à un éloignement des partis politiques qui visent le changement par la prise de pouvoir de l'État. Comme le souligne Claus Offe :

> *Les conflits et contradictions d'une société industrielle avancée ne peuvent être résolus de façon significative désormais par une approche étatique, une politique réglementée, et l'ajout continuel à l'agenda des autorités bureaucratiques, de questions à débattre et à résoudre.*

Ce n'est donc pas la possibilité d'agir qui est mise en doute par les nouveaux mouvements sociaux, ce serait plutôt la volonté politique d'agir à l'échelle globale qui devient source de désillusion. Devant un tel constat, les individus soit se contentent de subir l'inaction politique, soit prennent la charge de l'action. Le passage de l'idéologie à l'action est donc une des caractéristiques essentielles des nouveaux mouvements sociaux.

Deuxièmement, les nouveaux mouvements sociaux se caractérisent aussi par le recours à ce que Lazure appelle l'autonomie créatrice de la personne. Melucci souligne, pour sa part, que ce que les « individus revendiquent collectivement est l'appartenance de leur propre identité, la possibilité de disposer de leur créativité personnelle ». L'autonomie créatrice de la personne est à la base des nouveaux mouvements sociaux au sens où ils ne peuvent s'actualiser qu'à partir de cet *a priori* anthropologique. L'élément « autonome » de la personne met en relief qu'elle cherche à se « dégager le plus possible des nombreuses contraintes qui pèsent sur elle de tous côtés, en vue d'acquérir une certaine indépendance ». L'élément « créateur » de la personne souligne que ce dégagement de l'emprise des forces instituées sur la vie du sujet doit se faire conjointement à une prise de conscience de son pouvoir créateur et des immenses ressources qui émergent de ce mouvement d'émancipation. Ces propos sur l'autonomie créatrice de la personne font écho à ce que Rivier et Soubeyran écrivent à ce sujet :

> *[...] l'individu, en inventant, s'autonomise au sens culturel : il génère en lui-même et autour de lui des significations, et des désirs, et il peut, s'il le veut, apprendre à maîtriser et à guider ce processus de génération en fonction de son propre devenir.*

Comme ces auteurs le font remarquer, l'avenir n'est plus un continent à découvrir mais plutôt à créer et les nouveaux mouvements sociaux réclament cet espace de création pour la personne.

Troisièmement, cette autonomie créatrice de la personne a pour objet l'appropriation de l'espace quotidien et de la société civile face à l'envahissement incontrôlé de l'appareil technocratique de l'État et des grandes institutions, qui tendent plus à garder les individus dans une forme de dépendance. Touraine fait allusion à l'« autogestion » et à l'« autodétermination d'une collectivité » en tant que force d'opposition au pouvoir de plus en plus intégré de gestion économique, sociale et culturelle. Ce pouvoir de gestion, qui à la fois régit et appauvrit le quotidien et la société civile, maintient aussi artificiellement une polarité entre le public et le privé. Les nouveaux mouvements sociaux s'engagent dans des enjeux qui, à l'origine, appartenaient à la sphère du privé, comme la naissance face aux technologies de reproduction, la mort face à l'euthanasie, la maladie face à la biotechnologie, les rapports sexuels face aux libertés et aux droits individuels, etc. Les nouveaux mouvements sociaux cherchent donc, par le biais de l'autonomie créatrice de la personne, à se réapproprier l'espace-temps du quotidien et de la société civile, parce qu'il représente des univers concrets et connus où ce sont les significations du sujet qui prédominent. Comme l'écrit Lazure, le quotidien est un univers maîtrisable.

Quatrièmement, si le quotidien est régi par des formes de domination économique, politique, sociale et culturelle, les pratiques des nouveaux mouvements sociaux seront, par conséquent, davantage associées à la marginalité, ou même à la déviance, précisément à cause de leur refus de la domination. Et cela, même si ces pratiques ne sont pas toujours directement engagées dans un conflit ouvert avec de telles dominations. Le recours à l'action créatrice bouleverse souvent l'ordre établi, puisqu'il laisse de côté la reproduction d'anciens modèles pour en produire de nouveaux qui répondent aux attentes du quotidien. Comme le fait remarquer Touraine, plus la « gestion des systèmes technico-sociaux prend d'importance, plus l'intégration sociale devient un instrument essentiel du pouvoir ». Ainsi, tout écart, aussi insignifiant soit-il, des normes établies qui gouvernent le quotidien et la société civile implique-t-il une forme quelconque de marginalisation sociale, tant que la lutte n'est pas gagnée.

Les nouveaux mouvements sociaux répondent donc à la définition générale des mouvements sociaux, mais ils s'inscrivent en elle selon un mode bien distinct :

- par leur engagement direct dans l'action, basé sur les besoins et désirs des collectivités, plutôt que sur l'orthodoxie idéologique ;
- par leur recours à l'autonomie créatrice de la personne ;
- par leur appropriation du quotidien et de la société civile ;
- par le contraste marqué entre leurs pratiques et les normes dont le quotidien et la société civile sont investis.

Le concept de paradigme éducatif

Le concept de paradigme désigne un modèle de savoir servant à élaborer des objectifs, des théories, des hypothèses et une méthodologie de recherche. Ce modèle repose nécessairement sur une vision du monde (Weltanschauung) construite à partir d'expressions symboliques de la réalité irréductibles à l'échelle empirique. Brezinka avance que la Weltanschauung se fonde essentiellement sur des croyances, des convictions, un credo, sur une recherche et une attribution de sens. Un paradigme suppose donc l'intervention de volontés humaines qui s'expriment par un choix de certaines valeurs plutôt que d'autres.

Un paradigme éducatif est donc, lui aussi, nécessairement relatif à un registre de valeurs. Mais certains choix de valeurs ne favorisent que la simple reproduction des significations culturelles d'une collectivité, tandis que d'autres s'inscrivent en rupture complète avec le réseau existant de significations culturelles. Ces deux tendances extrêmes, rarement observables empiriquement, induisent, selon nous, l'aliénation dans la génération des personnes à éduquer. Tandis que des valeurs qui font la promotion à la fois de la reproduction et de la production de significations culturelles nous semblent plus appropriées à l'objet de l'éducation qu'est le développement humain des jeunes.

Par paradigme éducatif, on entendra donc le concept suivant :

1) un modèle, plus ou moins implicite mais tout autant réel, qui repose sur une vision du monde particulière ;

2) ce modèle articule l'action éducative qui consiste à assister un être humain dans le développement de ses potentialités ;

3) il le fait à l'intérieur d'un processus de socialisation qui a pour objet à la fois la reproduction et la production de significations culturelles essentielles à la vie collective et à l'individu.

Le paradigme éducatif des nouveaux mouvements sociaux

Parler d'un paradigme éducatif des nouveaux mouvements sociaux est pour le moins inhabituel, mais cela correspond à l'expérience vécue des acteurs qui s'engagent dans leurs luttes collectives. Les nouveaux mouvements ne sont pas que des vecteurs de changements sociaux, ils opèrent aussi des transformations chez les acteurs qui en font partie. Cela engendre, entre autres, une nouvelle culture éducative.

Le projet d'autonomie culturelle

Le point de départ du paradigme éducatif des nouveaux mouvements sociaux est l'acteur socioculturel, avec ses propres particularités psychiques et affectives. Cet acteur n'est pas que social, il n'est pas réduit à jouer un rôle mécanique ou à effectuer une fonction objective dans l'ensemble social. Il est aussi un acteur qui veut donner un sens à sa contribution sociale et à sa présence dans la collectivité. L'acteur socioculturel n'est pas hors du monde, il fait partie d'un contexte sociohistorique particulier. Il doit être mû par certains motifs qui dépassent ses intérêts propres pour se joindre à une lutte collective ou en démarrer une. À la base de l'engagement, l'acteur est probablement confronté aux implications d'un conflit entre sa propre vision du monde, ce que nous appelons l'individualité culturelle, et l'envahissement incontrôlé de l'appareil technocratique de l'État et des grandes institutions qui tend à garder l'individualité sociale dans une forme de dépendance culturelle. On peut supposer que ce conflit génère, chez les acteurs, une volonté de s'approprier un espace d'action autonome afin de répondre adéquatement à leurs besoins existentiels et à leurs désirs réels. Cet enchaînement constitue le premier segment du paradigme éducatif des nouveaux mouvements sociaux. Il correspond au projet d'autonomie culturelle (ou au « programme », pour rester dans le langage éducatif) des nouveaux mouvements sociaux. Les deux pôles de ce segment sont, d'un côté, l'acteur socioculturel (face à un conflit de visions du monde) et, de l'autre, les besoins existentiels et les désirs réels de l'acteur. Entre ces deux pôles s'insère un connecteur logique, soit la volonté de s'approprier un espace d'action autonome. La figure 1 illustre l'enchaînement de ce premier segment.

Figure 1
Projet d'autonomie culturelle dans le paradigme éducatif des nouveaux mouvements sociaux.

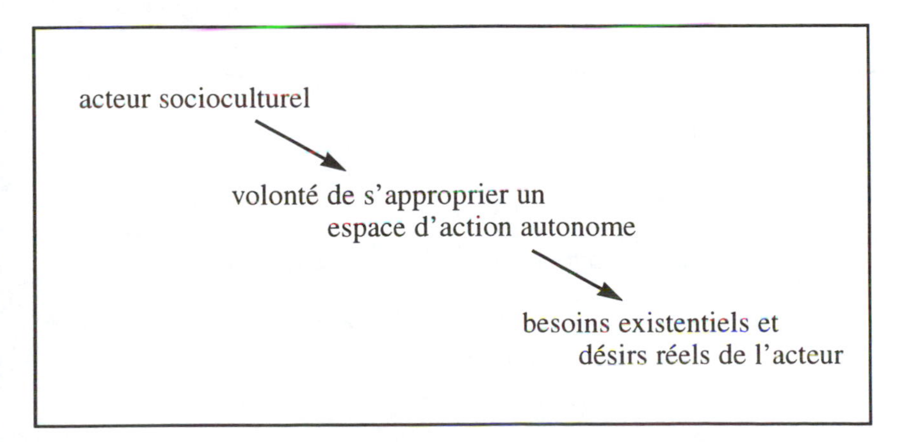

Le connecteur logique, c'est-à-dire la « volonté de s'approprier un espace d'action autonome », met en scène le rapport autonomie-action en tant que noyau du projet d'autonomie culturelle. Il s'agit pour l'acteur d'apprendre à accroître son autonomie culturelle par rapport aux forces envahissantes des institutions politico-économiques.

La transmission du projet d'autonomie culturelle

Le deuxième segment du paradigme éducatif des nouveaux mouvements sociaux se caractérise par le passage à l'action. Essentiellement, l'action des nouveaux mouvements sociaux est déterminée par la volonté de créer une chose positive et concrète répondant aux besoins existentiels et aux désirs réels, plutôt que de simplement critiquer et démolir ce qui est déjà en place. Parfois, une telle action impliquera la production d'une chose nouvelle ; d'autres fois, elle reproduira une chose ancienne (une méthode, une technique ou autre chose) qui fonctionnait adéquatement avant l'invasion des institutions politico-économiques dans le quotidien. Bien que cette action puisse entraîner la critique, voire la destruction de ce qui est déjà en place, ce n'est pas là son but premier. L'enchaînement du deuxième segment se présente donc ainsi : à partir des besoins et des désirs, on organise l'action selon un mode donné et on passe ensuite directement à l'acte. La transmission des significations culturelles en tant qu'acte éducatif et, par conséquent, la réception par l'acteur socioculturel de ces mêmes significations s'opèrent par le biais du connecteur logique qui s'insère entre les pôles « besoins et désirs de l'acteur » et « action », soit le mode d'organisation de l'action. La figure 2 illustre l'enchaînement de ce deuxième segment.

Figure 2

Transmission du projet d'autonomie culturelle dans le paradigme éducatif des nouveaux mouvements sociaux.

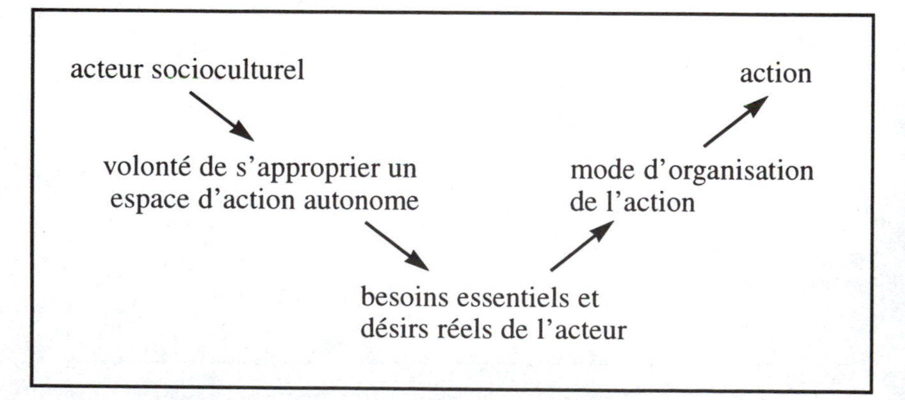

Le connecteur logique, mode d'organisation de l'action, établit le rapport organisation-action en tant que transmission du projet d'autonomie culturelle des nouveaux mouvements sociaux. La question qui se pose est la suivante : autour de quoi doit-on organiser l'action ? Comme il s'agit de développer l'autonomie culturelle, le premier mode d'organisation doit donc se situer à l'interne, c'est-à-dire à partir des significations qui prédominent dans l'expression des besoins existentiels et des désirs réels. C'est selon les catégories suggérées par cette expression que l'action devra s'organiser si on veut qu'elle soit significative pour les individus qui font part de leurs besoins et désirs. De là découle l'aspect unique de cette nouvelle action. Au lieu d'être une action uniforme fondée sur un système extérieur, elle devient singulière du fait qu'elle prend sa source dans un mode interne d'organisation qui tient compte de l'autonomie des personnes dans un groupe.

Le deuxième mode d'organisation se situe à l'externe, c'est-à-dire dans l'environnement des autres actions posées dans le passé et de celles prévisibles dans le futur. Il n'y a pas d'acte isolé, les autres actions sont en rapport dialectique avec le nouvel acte. D'une part, elles confèrent un sens particulier à cette nouvelle action ; d'autre part, cette dernière attribue un sens aux actes passés et à venir. Cette interaction entre les actes fait émerger l'aspect historique de la démarche.

Les modes interne et externe d'organisation de l'action sont les moyens de transmission du projet d'autonomie culturelle, parce que l'organisation de l'action suppose un dialogue et une réflexion sur le sens que l'on veut induire dans l'action. Et c'est par l'induction du sens dans l'action que l'action prend sa première valeur et donc, que l'on transmet des significations culturelles aux acteurs, qui ont alors la possibilité d'effectuer un bouclage entre le sens et l'action, et donc d'avoir accès au sens de leurs actes.

L'apprentissage du projet d'autonomie culturelle

Le troisième segment se définit par le passage de l'action à l'objectivation culturelle. Cette action sera objectivée au sens où elle s'extériorisera et se matérialisera dans le réseau collectif de significations culturelles. Cette action apparaîtra maintenant comme un acte passé, comme une action déjà posée entraînant des conséquences sur l'environnement quotidien. L'objectivation culturelle implique nécessairement une compréhension de l'action qui ne peut être que restreinte, puisque la réalité de l'acte, de ses motifs et de ses conséquences est toujours plus vaste que notre capacité à la comprendre et à la décrire. On devra donc se contenter d'éclairer les traits de l'action les plus susceptibles de rendre compte de sa signification en rapport avec les dynamiques qui l'ont précédée et qui la suivront.

Comme nous l'avons souligné, les nouveaux mouvements sociaux ont décroché des idéologies globales et sont ainsi plus libres de prendre en considération les conséquences de l'action comme facteurs d'objectivation culturelle. Car les idéologies globales ne peuvent que déclarer « orthodoxes » les actions qui découlent de la réflexion idéologique préliminaire et « non-orthodoxes » celles qui s'inscrivent en marge de cette réflexion ou contre elle. La capacité d'autocritique de l'idéologie globale s'en trouve alors handicapée. Or, l'idéologie devrait être remise en cause, si une action entraîne des répercussions néfastes sur l'environnement.

En procédant à une tentative d'objectivation culturelle après l'action, on érige cette dernière en élément fondamental de la connaissance. Il s'établit alors un rapport dialectique entre l'action et l'objectivation où la dimension cognitive de la représentation ne peut plus prévaloir comme écran ou filtre du réel, ce qui est souvent le cas avec l'idéologie. En donnant un statut de connaissance à l'action, nous sommes forcés de reconnaître la valeur de l'expérience de terrain du praticien comme source de connaissance. La division épistémologique entre la théorie et la praxis résiste difficilement au paradigme éducatif des nouveaux mouvements sociaux. En effet, ce dernier fait usage des corpus théoriques avec une souplesse et une créativité hors du commun et souvent à l'encontre de l'orthodoxie formelle des canons positivistes. Il ouvre des perspectives d'application de la connaissance jusqu'alors insoupçonnées, en établissant des rapports entre des champs de connaissance qui paraissent à première vue hétérogènes et en ébauchant du savoir à partir de l'expérience première qu'offre l'espace empirique de la vie quotidienne. Le passage de l'action à l'objectivation culturelle élabore aussi des liens entre le cognitif et l'affect, en exploitant les nombreux chevauchements entre ces deux univers.

Pour être en mesure de passer de l'action à l'objectivation culturelle, il faut faire intervenir un champ de références symboliques où l'action peut se transposer en expérience, l'expérience en connaissance, et la connaissance en objet culturel. Cette démarche constitue l'apprentissage des significations culturelles dans le paradigme éducatif des nouveaux mouvements sociaux. L'enchaînement de ce troisième segment se présente donc ainsi : de l'action au champ de références symboliques, et du champ de références symboliques à l'objectivation culturelle. La figure 3 illustre cet enchaînement.

Figure 3
Apprentissage du projet d'autonomie culturelle dans le paradigme éducatif des nouveaux mouvements sociaux.

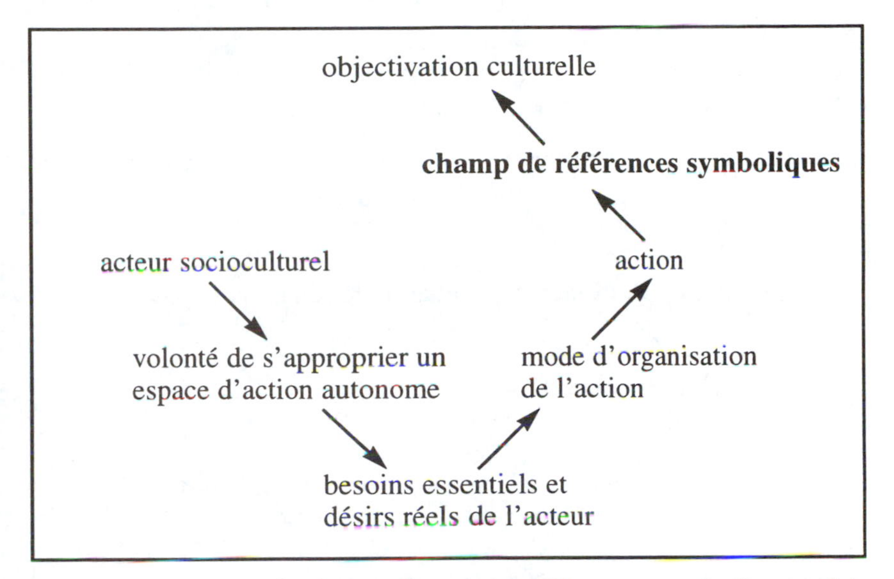

Le connecteur logique, champ de références symboliques, fait émerger le rapport autonomie-connaissance en tant qu'apprentissage des significations culturelles. Puisqu'il s'agit de développer l'autonomie culturelle, puisque l'action est d'abord organisée autour de catégories autonomes, il est essentiel d'aborder toute tentative d'objectivation culturelle de l'action avec une approche qui s'adapte à cet objectif d'autonomie. Car, comme l'indiquent Rivier et Soubeyran, par définition l'autonomie est justement ce qui échappe au savoir traditionnel des spécialistes. Plus ils « tentent de comprendre et de contrôler ce nouvel objet, plus ce dernier leur échappe [...] la « physique » sociale n'est pas la panacée universelle, le référentiel obligé de notre connaissance du social ».

L'intégration du projet d'autonomie culturelle

Le dernier segment du paradigme éducatif des nouveaux mouvements sociaux consiste en un passage du pôle d'objectivation culturelle au pôle de l'acteur socioculturel. Nous l'avons écrit plus haut, l'objectivation culturelle fait apparaître l'action dans un réseau de significations où se tissent des rapports entre les actions qui finissent par partager une culture commune. Une fois que ce réseau de significations commence à s'établir, une fois qu'il y a « culture », celle-ci engendre des dispositions psychiques en tant que références qui donnent un sens à l'agir, à la pensée et à l'être de l'individu et de la collectivité. C'est l'être humain dans son intériorité psychique qui s'en trouve transformé.

Figure 4
Intégration du projet d'autonomie culturelle dans le paradigme éducatif des nouveaux mouvements sociaux.

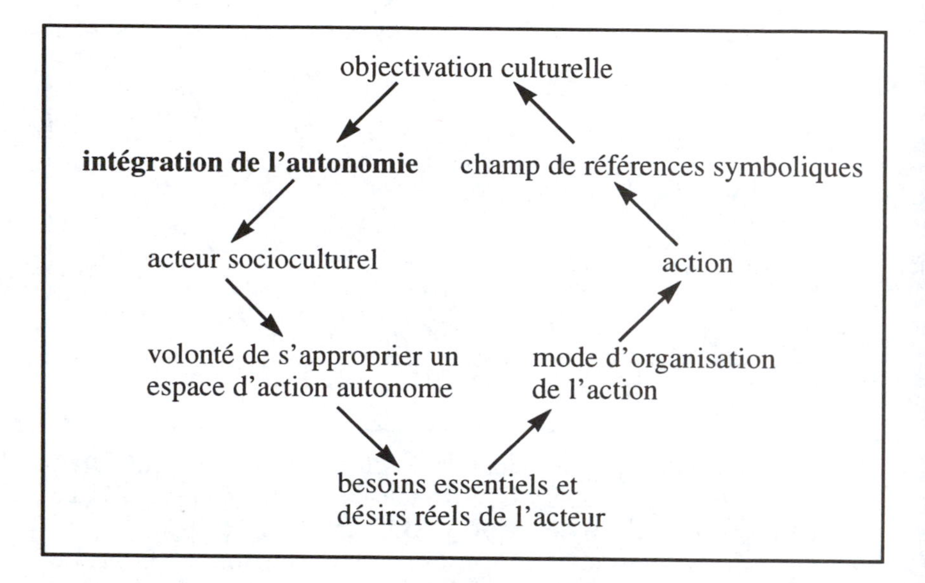

Par l'intégration de l'autonomie, la condition de l'acteur socioculturel devient alors paradoxale. S'il est en partie déterminé « naturellement » par son intégration, l'acteur n'y est pas asservi mécaniquement. Il n'en devient pas pour autant esclave, précisément parce qu'il s'agit de l'intégration de l'« autonomie » impliquant que l'acteur possède la capacité de prendre ses distances vis-à-vis de la culture normative, de poser sur elle un regard critique et même de la transformer par l'invention de sens inédits, par la création de nouvelles significations culturelles.

Les changements dans le système scolaire québécois

Pour illustrer de manière concrète les changements allant dans la direction du paradigme éducatif des nouveaux mouvements sociaux dans le système scolaire québécois, depuis 1970, on peut retenir deux exemples significatifs. D'abord, la mise en place dans le secteur public d'écoles ou de programmes spécialisés et, ensuite, l'élaboration de projets éducatifs particuliers par les conseils d'orientation.

La mise en place dans le secteur public d'écoles ou de programmes spécialisés

Devant la montée rapide du secteur privé depuis 1975, le secteur public a senti le besoin de multiplier les voies de scolarisation à l'école primaire et secondaire. Il en est résulté la mise sur pied de programmes spécialisés à l'intérieur d'une même école, par exemple le programme sports-études, ou d'écoles à projets éducatifs particuliers, comme les écoles internationales ou les écoles de beaux-arts. Ces différentes initiatives du secteur public naquirent afin de répondre à la diversité des besoins étudiants, soit en modifiant l'agencement du curriculum officiel, soit en l'enrichissant.

De manière globale, on peut dire que les écoles spécialisées se rattachent à un courant de pensée occidental axé sur la recherche d'une formation plus riche de l'intelligence et de la personne et sur l'importance de connaissances générales solides, de l'ouverture d'esprit à diverses cultures, du travail intellectuel continu et rigoureux, de l'actualisation de ses talents à leur pleine mesure. Les écoles internationales en sont le meilleur exemple. Au nombre de dix-huit dans le secteur public, ces écoles sont beaucoup plus sélectives de leurs élèves et s'adressent à ceux qui ont des résultats supérieurs à la moyenne. En plus du curriculum régulier du ministère de l'Éducation, les élèves ont au programme un cours d'histoire de la langue, des lectures d'auteurs classiques, des études d'auteurs de la francophonie, plus de cours d'anglais et un cours d'espagnol.

Cependant, d'autres écoles spécialisées, comme celles centrées sur les beaux-arts ou les sciences, pratiquent une autre approche de la formation scolaire, tout en soutenant aussi les valeurs liées à l'excellence. Pour ces écoles, les arts ou les sciences constituent des voies privilégiées d'intégration à toutes les matières contenues dans le curriculum. Par exemple, l'école montréalaise F.A.C.E. (Fine Arts Core Education), bilingue et de niveau primaire et secondaire, concentre sur les beaux-arts pour favoriser l'assimilation de tout le programme régulier. Il ne s'agit pas d'une école visant à former des professionnels des beaux-arts. L'art est plutôt utilisé comme la porte d'entrée royale à la formation complète des élèves particulièrement intéressés à ce domaine.

La diversification du secteur public a aussi engendré des programmes spéciaux à l'intérieur d'écoles régulières, par exemple le programme sports-études. Ce dernier a connu une popularité grandissante depuis sa mise sur pied en 1985. De neuf élèves-athlètes au départ, ils sont passés à 1 813 en 1995. Des critères de sélection rigoureux, reposant à la fois sur les performances sportives et le rendement scolaire, sont administrés conjointement par les commissions scolaires et les fédérations sportives. Lors de l'admission au programme, c'est surtout le critère du rendement scolaire qui prime ; lors des réadmissions, c'est surtout la performance sportive qui détermine la poursuite de l'élève-athlète dans le programme.

La mise en place dans le secteur public de ces écoles et programmes spécialisés, bien que motivée à la base par la force d'attraction croissante du secteur privé, n'en est pas moins une réponse claire au besoin de formation diversifiée qu'expriment les parents. Ils se contentent de moins en moins d'un parcours scolaire uniforme, de valeur moyenne, sinon médiocre, et démotivant pour les élèves. C'est là-dessus que nous pouvons effectuer un rapprochement avec le paradigme éducatif des nouveaux mouvements sociaux. En multipliant les portes d'entrée et les parcours dans le secteur public, on tente de répondre à la diversité des besoins et des désirs des acteurs socioculturels que sont les jeunes et leurs parents. On prend de plus en plus conscience non seulement de la variété des rythmes d'apprentissage, mais aussi et surtout de la multiplicité des intérêts réels des élèves. L'individualité culturelle, dans sa volonté de donner un sens particulier à la démarche scolaire, se trouve ainsi valorisée par le développement des écoles et programmes spécialisés du secteur public.

L'élaboration de projets éducatifs particuliers par les conseils d'orientation

Le concept de « projet éducatif » pour l'école remonte au Livre vert sur L'enseignement primaire et secondaire au Québec publié en 1977 par le ministère de l'Éducation. Le fondement philosophique du « projet éducatif » réside dans le fait que l'école, en tant que structure, n'est pas vue comme une « communauté éducative par statut, elle le devient ». Le devenir d'une « communauté éducative » est conditionnel à un consensus local (de la direction, des enseignants et des parents) sur les besoins et les désirs spécifiques du milieu de développer certains aspects de l'activité éducative répondant mieux aux attentes des divers participants à la vie de l'école. Ces divers aspects de l'activité éducative seront consignés dans le projet éducatif de l'école, sous la responsabilité du conseil d'orientation. Celui-ci est formé de parents, d'enseignants, de professionnels de l'éducation œuvrant dans l'école, d'un membre du personnel de soutien et d'élèves du deuxième cycle dans le cas des écoles secondaires. Toutefois, le projet éducatif n'appartient pas qu'à ce petit groupe. Il doit, en fait, être « élaboré, réalisé et évalué périodiquement avec la participation des élèves, des parents, des enseignants et des autres membres du personnel, et de la commission scolaire ». Il doit contenir les « orientations propres à l'école déterminées par le conseil d'orientation et les mesures adoptées par le directeur d'école pour en assurer la réalisation et l'évaluation ».

Il est intéressant de noter le lien entre l'ouverture des premières écoles alternatives entre 1974 et 1980, et l'émergence du concept de projet éducatif en 1977. Les écoles alternatives contestaient l'école conventionnelle comme milieu de vie. Cette dernière a donc voulu se doter d'orientations favorisant la création d'un milieu de vie scolaire plus riche et plus adapté aux besoins de la communauté. Plusieurs projets éducatifs se sont aussi présentés comme des réponses aux pressions grandissantes du secteur privé sur le secteur public concernant les élèves plus talentueux. Le projet éducatif constitue donc une tentative de l'école conventionnelle de se diversifier et de se démarquer face à la multiplication de nouvelles exigences de la part des parents et des élèves.

Le rapport du projet éducatif avec le paradigme des nouveaux mouvements sociaux est sensiblement le même que celui des écoles ou des programmes spécialisés du secteur public. Toutefois, le projet éducatif ne transforme en rien le contenu du curriculum établi par le ministère de l'Éducation. Il s'agit simplement de donner une « couleur locale » à la vie éducative du milieu scolaire. Par le projet éducatif, on convient du besoin qu'éprouve ce milieu de se reconnaître à travers de grandes orientations éducatives élaborées par les acteurs de l'école. On veut par là donner du sens à l'aventure commune que représente l'école publique. Ainsi, s'établit une connexion entre le projet éducatif et l'appropriation par les acteurs socioculturels d'un espace d'action autonome pour répondre de manière pertinente aux besoins et aux désirs de la communauté. On retourne donc, encore une fois, à la notion d'individualité culturelle. Cependant, cet espace d'autonomie est relativement étroit, au sens où le projet éducatif ne remet nullement en question ni le contenu du curriculum, ni les méthodes pédagogiques traditionnelles, encore moins l'administration de l'école.

Conclusion

Redéfinir le concept de démocratisation de l'éducation

L'idée de démocratisation de l'éducation fut capitale dans la réforme du système scolaire des années soixante. En cours de route, cette idée a revêtu diverses formes et elle s'est même dénaturée au point de se mettre à la remorque d'une idéologie de l'utilitarisme socio-économique. Mais les changements comme la croissance des écoles privées depuis 1975, la mise en place dans le secteur public d'écoles et de programmes spécialisés, la création d'écoles alternatives, l'élaboration de projets éducatifs par les conseils d'orientation, l'émergence du concept de formation fondamentale et de son importance dans la réforme du curriculum, et enfin l'instauration de conseils d'établissement ont déjà commencé à contrer cette idéologie et à faire valoir une autre manière de penser et de vivre la démocratisation de l'éducation. Je veux conclure cet article en montrant comment cette dernière pourrait se transformer et s'approfondir encore plus, à la faveur d'une action grandissante, dans la sphère scolaire, du paradigme éducatif des nouveaux mouvements sociaux.

En effet, une définition de la démocratisation de l'éducation selon ce paradigme bouleverserait notre vision de la société qui, alors, tiendrait compte davantage des individus et de leur capacité de donner leurs propres significations aux liens sociaux qu'ils établissent. Au lieu de voir les individus seulement à travers la société, on verrait également la société à travers les individus, comme les premiers artisans, du moins dans leur vie quotidienne et leur entourage immédiat, du sens à conférer à leurs rapports sociaux.

Dans cette optique, la démocratisation de l'éducation ne serait plus synonyme d'égalité des chances de « réussite » dans l'uniformité du parcours scolaire. Elle signifierait plutôt le droit pour chacun de s'engager activement dans une certaine détermination de son curriculum (contenu et pédagogie), afin de maximiser ses chances d'une meilleure formation. Le lien entre l'individu et la collectivité ne serait plus créé automatiquement par le processus préétabli de socialisation qu'impose le présent système scolaire. Il serait plutôt à construire graduellement par une plus grande participation de l'individu à la production des significations culturelles qu'il désire incarner dans son rapport avec la collectivité. La démocratisation de l'éducation ne serait plus restreinte à la capacité, pour les parents, les professeurs et les élèves, d'effectuer des choix éducatifs entre les possibilités offertes par l'État ; elle serait étendue à leur capacité de contribuer à la création même de ces choix. Le rôle de l'État en éducation deviendrait alors celui d'un adjuvant plutôt que d'un dirigeant, au sens où la fonction organisatrice du ministère de l'Éducation serait reléguée à l'arrière-plan pour faire plus de place à une fonction de coordination du réseau éducatif. Un tel réseau s'autoorganiserait localement, tout en comptant sur l'appui de l'État pour l'aider à gérer les rapports entre ses différentes ramifications.

L'application dans l'école du modèle éducatif des nouveaux mouvements sociaux est de nature à transformer non seulement le contenu de l'éducation mais aussi la structure même de l'école et à la rendre plus démocratique. Jusqu'ici, les significations culturelles propres à tous les acteurs éducatifs n'ont pas tellement pesé lourd dans cette structure. Sous l'action croissante du paradigme éducatif des nouveaux mouvements sociaux, elles sont susceptibles d'être prises en considération et de rejoindre l'univers du vécu quotidien de ces acteurs. Leur vie privée, là où se ressentent leurs besoins existentiels et leurs désirs réels, s'insérerait ainsi dans le domaine public de l'éducation, estompant par le fait même la forte polarité qui joue entre ces deux sphères du public et du privé.

Il en résulterait vraisemblablement une perte de pouvoir des forces éducatives institutionnalisées. Mais ce serait au profit d'une appropriation démocratique de l'éducation par tous ses acteurs de la base, y compris les élèves eux-mêmes. Dans l'exercice de leur autonomie créatrice, ils pourraient ainsi instaurer de nouveaux modes d'autodétermination et d'autogestion scolaire. À mon sens, l'éducation des jeunes n'en serait que mieux assurée.

CHAPITRE 12

ÉGLISES ET ÉTATS DEMAIN L'EUROPE

Jean Baubérot

Au départ, nous envisagions, Michel Péronnet et moi, ma participation à cette manifestation comme une de mes dernières prestations en tant qu'historien et sociologue du protestantisme. Mais finalement le sujet qui m'a été donné m'amène plutôt à donner le premier exposé de ma nouvelle situation universitaire, celle d'un historien et d'un sociologue de la laïcité[1].

Le thème de ce soir est très vaste. Il ne saurait donc avoir le degré de scientificité qui est celui des communications présentées au colloque. Nous sommes d'ailleurs dans un autre cadre et on m'a demandé d'introduire un débat. Ma conférence va donc adopter un genre mixte : je vais utiliser les résultats d'une recherche collective et effectuer des propositions[2]. Il s'agit donc d'un propos délibérément situé qui donne matière à débat comme on dit ; mais son but consiste justement à lancer le débat.

Il faut savoir que se manifeste actuellement dans le courant laïque une inquiétude par rapport à l'Europe, à la construction européenne. À un colloque organisé, au printemps 1990, par l'Institut protestant de théologie, Régis Debray avait insisté sur le fait que la laïcité est une « exception française[3] ». Il n'est pas le seul à craindre qu'elle soit laminée, normalisée par l'Europe : l'Europe des douze ou une plus grande Europe. Sans perdre de vue un contexte plus large, je concentrerai mon propos sur l'Europe des douze. Un sociologue est sensible aux cadres institutionnels or, pour le moment, c'est avant tout dans le cadre de la communauté européenne que se construit une certaine Europe. Un élargissement pourra ultérieurement se produire, mais quand ? Avec quels pays exactement ? Et où en seront les derniers dans une évolution qui se produit actuellement à un rythme rapide ? Tout cela nous ne le savons pas. Et il est nécessaire que je maîtrise un peu mon propos. D'ailleurs nous connaissons mal la situation des Églises et autres organisations religieuses par rapport aux pouvoirs politiques et sociaux chez nos voisins et pays proches qui constituent la communauté européenne, et cela vaut la peine d'examiner un peu la question.

Je ne reprendrais pas telle quelle, pour ma part, l'expression : la laïcité, une exception française. Elle me semble un peu hexagocentrique et induit une mentalité d'assiégé. Je dirais plutôt : la laïcité, une invention française, un peu comme on peut dire que le TGV est une invention française. Cela me semble exact, sur le plan des tendances lourdes et en témoigne l'aspect difficilement traduisible du terme même de la laïcité. Mais que le TGV soit une invention française n'empêche pas qu'il puisse exister d'autres types de trains rapides, que ces différents types présentent entre eux certaines ressemblances et certaines différences, bref qu'une comparaison soit possible. Or justement, actuellement, on manque d'études où cet élément comparatif soit pris en considération. Tentons, à nos risques et périls, de brosser, à gros traits, un état des lieux.

Quel est le statut des religions ? On sait qu'en France, le régime de séparation des Églises et de l'État existe depuis 1905. La République ne reconnaît aucun culte et les organisations religieuses sont des associations de droit privé. Les Pays-Bas présentent un cas de figure proche. La séparation existe depuis 1798[4] et les Églises sont des personnes morales de droit privé.

Mais il est des pays où le terme même de séparation est entendu tout autrement qu'en France. Il n'exclut, en effet, ni un Concordat avec Rome ni un statut de droit public pour les Églises. C'est notamment le cas en Allemagne où le Concordat signé au début du nazisme n'a pas été aboli et où il existe des contrats avec les Lander pour l'Église évangélique. C'est également le cas pour le Portugal où la séparation, effectuée en 1976, n'a pas mis fin au Concordat établi en 1940, et qui qualifie le catholicisme de « religion traditionnelle de la nation portugaise ».

D'autres pays possèdent des Concordats. L'Italie, par exemple, où le nouveau Concordat de 1984 abolit le statut de religion d'État du catholicisme mais le considère toujours comme la religion majoritaire, partie intégrante de la culture commune italienne. L'Espagne n'a plus, également, de religion d'État depuis 1978 mais le Concordat renégocié en 1976 et la loi organique de 1980 sur la liberté religieuse et les cultes permet des conventions de coopération avec les Églises, en fait essentiellement avec l'Église catholique. Le Luxembourg est toujours réglé par le Concordat français de 1801 modifié en partie par certains articles de la Constitution luxembourgeoise de 1848. Plus pluraliste, la Belgique n'a pas de Concordat mais un système de « religions reconnues » : traditionnellement le catholicisme, le protestantisme, l'anglicanisme, le judaïsme, depuis 1974 l'islam et depuis 1985 l'orthodoxie.

Il n'existe pas – bien sûr – de Concordat dans les pays où le catholicisme est très minoritaire ou pratiquement inexistant. Cela ne signifie nullement, pour autant, une séparation à la française : en Grèce, l'Église orthodoxe est autocéphale, autonome, unie pour la doctrine aux autres Églises orthodoxes mais administrée par l'État. Il existe une certaine « copénétration » entre l'Église et l'État, et l'Église est une personne morale de droit public. Dans des pays de culture protestante, nous trouvons un système d'Églises établies en Grande-Bretagne : Église presbytérienne pour l'Écosse, Église d'Angleterre (anglicane) pour l'Angleterre. Le Parlement intervient dans les affaires de l'Église même si le synode général prépare les dossiers. Archevêques et évêques siègent à la Chambre des lords. Les autres confessions n'ont pas de liens officiels avec l'État. Elles ne souhaitent pas être définies comme des « religions » mais possèdent un statut « d'organisations charitables[5] ».

Paradoxalement, nous trouvons en République d'Irlande une séparation des Églises et de l'État (1937) sans Concordat. Pourtant là s'arrête l'analogie de situation entre l'Irlande et la France. En effet, la Constitution irlandaise place ce pays sous l'égide « de la Sacro-Sainte Trinité, de laquelle découle toute autorité, et à laquelle les actes tant des hommes que des États seront soumis à la fin des Temps », et son article six affirme : « Tous les pouvoirs du gouvernement législatif, exécutif ou judiciaire émanent sous Dieu, du peuple. »

Ces diverses situations donnent un statut plus ou moins officiel aux religions ou à une religion dominante. Il n'est donc guère étonnant que ce statut s'accompagne le plus souvent d'une aide financière. Celle-ci peut prendre différentes formes. D'abord celle d'une rétribution des ministres de plusieurs cultes reconnus (Belgique, sauf pour l'islam, Luxembourg) ou ceux d'une religion nationale (Danemark, Grèce où l'État perçoit en retour 35 pour cent des revenus de l'Église orthodoxe). Il peut s'agir, ensuite, d'un impôt ecclésiastique facultatif perçu par l'État et reversé ensuite aux Églises. Un tel système a été adopté par l'Espagne, l'Italie, l'Allemagne. Dans ce dernier pays, un tel impôt s'élève à huit ou neuf pour cent (suivant les années) du revenu fiscal de l'impôt sur les salaires. Il permet aux Églises d'avoir à elles toutes un revenu de plusieurs centaines de millions de marks (350 en 1988) une fois couvert leurs frais de fonctionnement. Notons que certains groupes religieux – les protestants vaudois et les juifs en Italie, par exemple – ont volontairement refusé de s'intégrer à un tel système.

Quand l'État ne finance pas directement les Églises, des subventions peuvent être attribuées pour des activités présentant un intérêt social. Telle est la situation des Pays-Bas où les salaires attribués au clergé ont été supprimés en 1981. C'est aussi le cas en Irlande où les ordres religieux reçoivent des fonds publics très substantiels, car ils occupent une place déterminante dans l'enseignement.

Nous trouvons, fort logiquement, une présence importante de la religion dans la sphère publique. Les Églises sont, en Allemagne, en deuxième position comme pourvoyeuses d'emplois avec environ 700 000 salariés. Ces derniers occupent diverses fonctions dans des hôpitaux, des services sociaux, le secteur de l'aide pour le développement, l'enseignement. Tout à côté, en Belgique, le « pilier » catholique encadre efficacement les membres de cette religion, de la naissance à la mort à travers une myriade d'institutions : syndicats, mutuelles, écoles, hôpitaux, institutions financières[6]. On estime notamment que 80 pour cent du système des soins relève du « pilier » catholique. Ce même système des « piliers » fonctionne aussi aux Pays-Bas, de façon plus équilibrée, il est vrai, les piliers protestant, catholique et humaniste étant de force analogue.

À l'ouest, en Irlande, l'existence d'un secteur social important dépendant de la sphère ecclésiastique se double d'une tutelle catholique sur des institutions publiques. Ainsi une certaine déontologie catholique tend à s'imposer dans les hôpitaux publics. D'ailleurs, à la suite de référendums, le divorce et l'avortement sont constitutionnellement interdits[7]. Plus au sud, au Portugal, l'Église catholique contrôle beaucoup d'institutions de bienfaisance. Ainsi la « Caritas Portugal », organisme confessionnel, a le monopole de la redistribution des fonds provenant de l'aide internationale ou nationale.

En Grèce, la collaboration de l'État et de l'Église orthodoxe s'avère étroite dans des domaines comme l'éducation de la jeunesse, la protection de la famille et du mariage, les soins donnés aux pauvres. Les autorités ecclésiastiques apparaissent comme une partie intégrante du pouvoir d'État. On sait d'autre part, que dans certains pays d'Europe, comme le Danemark et l'Italie, le mariage religieux peut avoir valeur civile où une religion se trouve « protégée » par certaines lois – ainsi la loi sur le blasphème au profit des seules croyances de la *Church of England*[8].

Nous pourrions continuer ce tour d'horizon. Mais sans doute cela est-il inutile et les exemples que je vous ai donnés suffisent à montrer l'existence d'un réel problème. Effectivement, globalement, les relations des Églises et des États et la situation des Églises au sein de la société civile est différente en France et dans le reste des pays de la communauté européenne. Bien que les protestants français aient contribué à l'invention de la laïcité française, les pays culturellement protestants de l'Europe du Nord ne sont pas laïques. Le protestantisme ne serait-il pas un adversaire discret, mais d'autant plus efficace, de la laïcité ? L'Église catholique, en sa tête, met en œuvre une stratégie européenne qui manifeste une prétention cléricale à régir l'être humain selon une éthique à référence catholique[9]. L'islam, avec ses revendications propres, peut être un facteur de « reconfessionnalisation ». Dans un tel contexte, le statut particulier de l'Alsace-Moselle qui pouvait être considéré comme une dérogation acceptable, ne va-t-il pas devenir un cheval de Troie pour obtenir, de la part des pouvoirs publics, de nouveaux avantages pour les Églises qui conduiraient la France à s'aligner sur une sorte de moyenne européenne ?

Le sentiment qu'éprouvent certains laïques que la laïcité française se trouve être aujourd'hui une « forteresse assiégée » est donc assez facilement compréhensible. Et il risque de se renforcer ces prochaines années. Cependant on peut se demander si l'analyse qui le fonde n'est pas partielle, grossissante et en partie déformante. D'autre part admettre l'existence d'une « menace » ne signifie pas obligatoirement céder à la panique et adopter une attitude défensive, crispée. Mes ancêtres paysans ne prétendaient pas être de grands stratèges mais parmi les maximes apprises dans leur enfance, ils avaient retenu celle qui indique que « la peur est mauvaise conseillère ». À diverses reprises cela leur a donné une intelligence de la situation dont nous ferions peut-être bien de nous inspirer.

Le catalogue d'exemples est utile. Mais il a ses limites. Il gomme les nuances et met entre parenthèses certains problèmes importants. Ainsi on peut se demander ce que signifie concrètement la référence religieuse dans une activité sociale. La réponse n'est certainement pas univoque. Suivant les pays ou les régions, les confessions et même les personnalités en position de pouvoir, nous trouverions, par des enquêtes un peu approfondies, de multiples cas de figure.

D'une manière générale, nos exemples ont donné une vision un peu fixiste, analogue à une photographie. Il nous faut, maintenant avoir un regard plus mobile. Cette nouvelle manière de considérer les situations européennes peut nous amener à faire d'intéressants constats.

D'abord la diversité des situations est plus grande qu'il n'y paraît. Si on envisage chaque pays en lui-même et non plus par rapport au cas français (ce qui est une vue un peu « nombriliste »), on s'aperçoit vite que la relation Église-État-société civile est le produit de son histoire propre. Et, à cause de cela, la comparaison trop rapide avec la France est souvent fallacieuse.

Prenons l'exemple du Danemark, pays où le luthéranisme a le statut de religion nationale. Le problème d'une séparation de l'Église et de l'État s'est posé au milieu du XIXe siècle. Un courant interne de l'Église luthérienne la réclamait. Mais les milieux politiquement libéraux, à l'instigation du théologien N. F. S. Grundtvig (1783-1872) estimèrent que le maintien d'un pouvoir d'État protégerait chaque « fidèle », chaque communauté, chaque pasteur contre toute uniformisation ecclésiale. « Ce qu'il craignait et que ses partisans craignent encore, écrit Jorgen Stenbaek, c'est que la contrainte d'État soit remplacée par une contrainte d'Église libre entraînant l'uniformisation au sein d'une Église indépendante de l'État[10]. » L'État est le garant du fonctionnement démocratique interne de l'Église luthérienne et il va tout à fait jouer ce rôle par diverses lois comme celle qui donna, en 1946, la possibilité aux femmes d'être ordonnées pasteurs. Comment cette situation arrive-t-elle à être compatible avec le respect du pluralisme ? En reconnaissant légalement, à côté de l'Église nationale, d'autres Églises ou organisations religieuses. Avant 1969, il s'agissait essentiellement d'autres communautés chrétiennes et du judaïsme. Depuis lors, le système s'est étendu aux bahaïs et aux sikhs. Par ailleurs une grande liberté d'expression et de mœurs existe et la censure est interdite par la Constitution.

Nous sommes donc dans un système structurellement différent du cas français où, depuis la Réforme, l'autonomie de l'État et du politique ne sont plus en cause. Le problème est, au contraire, la liberté de l'Église et les différentes conceptions que l'on en a.

D'autres exemples pourraient être pris dans des pays culturellement protestants. Ils montreraient, eux aussi, que la situation actuelle comporte des siècles d'histoire sédimentée. Schématiquement, il est possible de dire qu'il s'est produit un processus de sécularisation (sans laïcisation). Alors que la laïcité est le résultat d'un conflit où l'État a dû, pour assurer les libertés démocratiques, déstabiliser l'institution religieuse, la sécularisation s'est effectuée par le jeu de la dynamique sociale et des évolutions socioculturelles. Une place a été conservée par l'institution religieuse alors même que la situation de la religion a profondément changé dans le champ de la connaissance et par rapport aux mœurs. Ainsi définie, la sécularisation suppose une absence de dissonance grave entre les mutations internes du religieux (qui peuvent être conflictuelles) et les autres changements sociaux. La religion peut même se modifier de façon à légitimer (ou à contribuer à provoquer) une certaine perte de son emprise. Il n'est pas étonnant qu'à terme, religion établie, pluralisme et société sécularisée puissent coexister[11].

Un tel processus s'est opéré, dans la longue durée, au sein de pays devenus protestants ou marqués par le protestantisme. Aux Pays-Bas, en Allemagne, l'Église catholique a subsisté mais a perdu toute possibilité de prétendre à un monopole de la légitimité religieuse. Elle a donc dû s'acclimater à une nouvelle situation.

Cependant si la sécularisation a permis au changement social de s'effectuer en limitant le conflit et en instaurant une « paix religieuse », cette solution marque aujourd'hui ses limites. Elle minimise, en effet, le développement de l'indifférence en matière de religion. Le pluralisme a tendance à rester intra-religieux et les différentes religions constituent des pôles de référence éthique. Or, aujourd'hui, religion et morale (au sens générique) ne sauraient être confondues. Un nombre important d'Européens se rattachent à des références morales humanistes. À terme cela peut amener les pays culturellement protestants à se poser le problème d'une laïcisation qui compléterait la sécularisation. Sans leur donner une recette à appliquer mécaniquement, le modèle français pourrait apparaître attractif.

Dans l'Europe du Sud culturellement catholique – Europe qui « remonte » jusqu'à la Belgique et l'Irlande – nous trouvons une évolution, notamment dans la période récente, qui introduit certains éléments de laïcité.

En Italie une réforme sanitaire, en 1970, a réduit le rôle du catholicisme dans le système de soins. Malgré de vifs affrontements politiques, des lois libéralisant le divorce et l'avortement ont été votées. En 1984, un nouveau Concordat a aboli le statut de religion d'État du catholicisme. La baisse du taux de fécondité (un des plus bas d'Europe) montre l'indépendance de la population à l'égard de certaines prescriptions de l'Église romaine. En Espagne, les bouleversements opérés depuis la mort de Franco en 1975 sont spectaculaires[12] : renégociations du Concordat en 1976 ; proclamation, deux ans plus tard, par la nouvelle Constitution, qu'aucune religion n'est religion d'État ; loi organique, en 1980, sur la liberté religieuse et des cultes (12). Aujourd'hui, la liberté individuelle est assurée, l'état-civil, le système de soins, l'enseignement public (majoritaire) sont gérés par l'État. Le divorce, la contraception, l'avortement ont été légalisés. L'Irlande elle-même commence à bouger : depuis 1985 la vente de préservatifs masculins est libre et les femmes majeures peuvent obtenir des moyens contraceptifs, cela malgré l'opposition de l'Église catholique. Quant à la Belgique, si le système des « piliers » subsiste (12)[13],il faut noter que le courant de pensée « morale laïque » s'est développé et a obtenu les mêmes avantages que les diverses religions reconnues. Face à une évolution aussi consistante la laïcité française n'apparaît pas, là non plus, en si mauvaise posture.

Nous pouvons donc raison garder. La laïcité française, en définitive, apparaît moins menacée que poussée vers une confrontation. Dans cette nouvelle conjoncture, il me semble important de mener une double réflexion : quels sont les aspects de la laïcité française auxquels nous sommes particulièrement attachés ? Quelle modernisation pourrait être opérée pour rendre la laïcité française particulièrement dynamique dans l'Europe de demain ?

Dans le cadre du Cercle Condorcet, nous avons déterminé cinq points qui nous semblent constituer des caractéristiques précieuses de la laïcité française[14] :

1. L'État connaît les Églises (ou cultes) sans les « reconnaître » (au sens des « cultes reconnus »). Il connaît leur existence dans la société civile comme pourvoyeuses de sens symbolique au même titre que d'autres associations (associations humanistes par exemple) sans légitimer ou dévaloriser leur message ;

2. En particulier, l'État refuse qu'une Église ou qu'un groupe d'Églises (une sorte de « syndicat des religions » selon l'expression de René Rémond) puisse jouer un rôle de magistère moral et veuille imposer à l'ensemble de la société une position qui prétendrait, au nom de référence transcendante, être exclusive de tout autre.

3. L'État ne subvient pas aux besoins des différents cultes. Il accorde des subventions à des associations en se fondant sur l'intérêt social des activités qu'elles mènent et non sur leur référence doctrinale ;

4. Le droit de chaque individu à s'engager dans un groupement religieux ou philosophique, à se désengager de tout groupement de cet ordre ou à changer de religion (ou d'orientation philosophique) doit être respecté et la liberté de l'individu assurée face à tout englobement clérical ;

5. L'enseignement public ne doit pas dispenser un enseignement confessionnel de la religion[15].

Mais nous ne vivons pas dans l'intemporalité, chaque aspect est donc susceptible de modernisation. Les propositions suivantes n'engagent que moi. Je les crois aptes à rendre la laïcité française dynamique et offensive dans le contexte européen. Reprenons dans un ordre inverse les différents points abordés :

• un enseignement d'histoire des religions dans le secondaire montrerait aux élèves que toute société entretient des rapports complexes aux rites, aux mythes et aux normes. Il serait une réponse laïque au problème posé par l'existence d'un cours de religion à l'école publique dans les autres pays de la communauté européenne ;

• la liberté est une conquête progressive et perpétuelle. Elle n'est jamais donnée une fois pour toutes. Cela signifie une stratégie d'acclimatation et d'intégration qui sache faire du temps un allié. Cela signifie aussi une vigilance face à ce qui, en Occident, déstructure l'individu. N'existe-t-il pas, de plus en plus (par exemple), un néo-cléricalisme médiatique ?

• l'aide indirecte existe déjà et il est temps de l'assumer. Elle fait partie du droit commun où des associations à caractère privé peuvent concourir à des activités d'intérêt public. Il faut cependant s'assurer de la qualité du service rendu, de son respect de la liberté de conscience et de son inscription dans les principes fondamentaux d'une société démocratique[16] ;

• le refus de tout magistère moral – qu'il soit catholique ou œcuménique – doit s'accompagner d'une prise de conscience de la nécessité d'un large débat éthique qui permette la confrontation publique de différentes positions. Ce serait une laïcité délibérative ;

• sans s'engager sur la valeur des contenus de ces propositions, l'État pourrait reconnaître l'intérêt et la nécessité sociale (car tout vivre ensemble est fondé sur un jeu complexe de consensus et de dissensus au niveau des valeurs) de ce débat entre « familles de pensée », mené de façon volontaire et associative. Du débat pourrait peu à peu émerger une nouvelle morale laïque qui ne serait pas imposée par le haut (contrairement à la tentative effectuée à la fin du XIXe siècle) mais constituerait un travail de production éthique par la société civile[17].

Une telle modernisation de la laïcité française – qui bien sûr ne sera pas facile à réaliser – aurait des effets qui dépasseraient le cadre de l'Europe des Douze. Mais ceci est un autre exposé !

Débat

A. Gounelle : L'Europe, est-ce un repliement ou une ouverture ? Les Églises ont-elles vocation dans l'Europe et doivent-elles passer par la discussion d'un statut religieux ?

J. Baubérot : La question est des nouvelles frontières non politiques en train de se créer : Nord/Sud, et peut-être Est/Ouest. L'analyse peut partir des statuts plutôt que des valeurs. Le statut est un marquage matériel ; du statut, on peut passer à la vocation, aux valeurs et au débat éthique. Mais il faut trouver un interlocuteur, les partis engagés dans la gestion quotidienne et les échéances électorales n'étant pas des interlocuteurs de débat.

H. Bost : À propos de magistère moral, il est difficile de se démarquer de l'approche catholique. La théocratie un peu disparue ne perce-t-elle pas à nouveau dans le débat apparent sur l'individu et les droits ?

J. Baubérot : On peut évoquer des convergences comme morale naturelle, morale évangélique ; mais il y a une différence entre la religion publique avec autorité, et la religion dont le magistère est réduit à la vie privée. On peut avancer sur ce point à travers le droit associatif : que le citoyen puisse écouter toutes les voix. Mais il demeure le problème de la formation des enfants, ou actuellement de leur absence de formation éthique initiale : on livre l'individu au vide, un ressourcement des valeurs est nécessaire.

A. Loverini : Des Églises libres par vocation et par choix sont nombreuses en Europe.

J. Baubérot : Partout on trouve des statuts et des institutions. Dans le débat européen, on occulte ce caractère : en Grande-Bretagne, les non-conformistes ont réussi à imposer un système souple de vie sur le mode associatif, des lieux, un système d'éducation.

M. Péronnet : Le problème de l'utilisation de concepts opérationnels permettant de qualifier une évolution historique à partir d'une situation initiale est un problème fondamental dans l'exercice du métier d'historien. Cette recherche de qualification dont vous venez de donner des exemples est une activité sociale fondamentale, celui de la satisfaction de la transcendance qui se retrouve dans toute société.

Comme situation initiale je proposerai la Chrétienté des années 1150-1350 et c'est là que je placerai, en Europe, le point de départ d'un processus que je qualifierai de PROFANISATION. Ce processus est celui qui fait passer d'un monde fondé entièrement sur le SACRÉ, en l'occurrence le Sacré chrétien en Europe, à un monde devenu complètement indépendant du SACRÉ défini dans la situation initiale.

La société à l'issue du processus de *profanisation* n'utilise des références transcendantes que profanes c'est-à-dire qui expriment des transcendances placées complètement en dehors du système initial de sacré en l'occurrence chrétien, de la religion, et du clergé. Le *processus de profanisation* recoupe et regroupe d'autres processus particuliers et les intègre dans ce processus global : tels que ceux de désacralisation, de sécularisation, de laïcisation, voire de déchristianisation.

Ces processus mis en marche à partir du XIII-XVe siècles en chrétienté débouchent sur les contrastes importants relevés dans les divers pays européens intégrés avec un décalage chronologique important dans le processus de profanisation avec les avancées et les reculs de ce processus.

Notes du chapitre 12

---

1. L'auteur de cette communication, directeur d'études à l'École Pratique des Hautes Études y a occupé la chaire « Histoire et sociologie des protestantismes » de 1978 à 1991. Depuis le 1er octobre 1991 – soit quelques jours avant le colloque – il est titulaire de la chaire « Histoire et sociologie de la laïcité ».

2. Le travail collectif utilisé est celui de la Commission *Phénomènes religieux et laïcité* du Cercle Condorcet de Paris (responsables : Jean Baubérot et Henri Dieuzaide) et de l'équipe *Histoire et Sociologie de la laïcité*, E.P.H.E. (responsable : Jean Baubérot).

3. R. Debray, « La laïcité, une exception française » dans H. Bost (éd.), *Genèse et enjeux de la laïcité*, Genèse, Labor et Fides, 1990.

4. Conséquence de la Révolution française (on sait qu'en France, il a existé une première séparation des Églises et de l'État de 1795 à 1801).

5. Cela, notamment, pour des raisons d'ordre financier.

6. Peu connu en France, le système des « piliers » amène un catholique (par exemple) à voter pour un parti catholique, à adhérer à un syndicat catholique, à se faire soigner dans un hôpital catholique, etc. En fait, il a fonctionné implicitement dans certaines régions de notre pays jusqu'à la seconde guerre mondiale. Un exemple : à la fin des années 1920 le Conseil presbytéral d'une paroisse de la Drôme indique à son pasteur que sa femme « a fauté » : elle est allé faire ses courses chez l'épicier catholique !

7. Ce qui bien sûr ne facilite pas la réunification du pays.

8. En 1976, l'auteur d'un poème prétant à Jésus des penchants homosexuels a été condamné. Lors de « l'affaire Rushdie » des musulmans ont demandé, en vain, que cette loi soit étendue à l'islam.

9. Cf. not. J.P. Willaime (éd.), *Strasbourg, Jean-Paul II et l'Europe*, Paris, éditions du Cerf, 1991.

10. J. Stenbaek, « Église et État du Danemark », *Conscience et Liberté*, n° 32, 1996, p.48.

11. La notion de sécularisation ainsi utilisée est plus restreinte (donc à mon sens, plus opératoire) que son emploi habituel par les sociologues (qui ne distinguent pas sécularisation et laïcisation). Sur l'emploi extensif de sécularisation cf. K. Dobbelaere, « Sécularisation : a Multi-Dimensional Concept », *Current Sociology*, 1981.

12. On sait que, jusqu'aux années 1970, le protestantisme espagnol n'a pas bénéficié d'une véritable liberté religieuse.

13. Contrairement aux Pays-Bas qui connaissent, depuis 25 ans, un mouvement de « dépolarisation » qui les rapproche de la situation française cf. not. P. Ester, L. Halman, « Les piliers hollandais », *Projet* n° 225, printemps 1991, p. 16-26.

14. CF. Cercle Condorcet, *Phénomènes religieux et laïcité en Europe*, Ligue de l'enseignement – Paris, 1992.

15. Contrairement à ce qui est en vigueur (avec divers cas de figure qui vont du quasi monopole d'une religion à un choix optionnel incluant la « morale laïque » dans les autres pays de la Communauté européenne.

16. Il faudrait reprendre, à ce niveau, la notion de « caractère propre ».

17. Cf. les chapitres IX et X de mon ouvrage *Vers un nouveau pacte laïque*, Seuil, 1990.

CHAPITRE 13

ÉDUCATION ET ÉVANGILE : POURQUOI AVONS-NOUS DES ÉCOLES ?

Brenda Watson

On raconte que Mark Twain avait l'habitude de se plaindre que son éducation avait été interrompue par l'instruction scolaire qu'il avait reçue. Que cela ait été vrai ou non pour lui, nous voulons examiner, dans le présent article, jusqu'à quel point cela pourrait être le cas pour plusieurs dans la société actuelle, et comment il nous faut aborder ces questions d'éducation et d'enseignement d'un point de vue chrétien. En fait, on trouve aujourd'hui pas moins de cinq approches différentes à l'enseignement. Jetons-y un bref coup d'œil.

La conception libérale de l'enseignement

Le projet éducatif de cet ordre est orienté vers le développement personnel du jeune, l'encourageant à accroître ses capacités de réflexion et à exercer son sens des responsabilités en vue de son épanouissement individuel en tant que personne ayant des droits. Les principes d'autonomie et de responsabilité sont intimement associés dans cette approche à l'éducation. « Des mots tels que *liberté, croissance, autonomie, coopération, démocratie, négociation* et *justice...* sont les valeurs traditionnelles qui ont façonné le monde de l'éducation depuis les années soixante[1]. »

Le modèle d'enseignement utilitariste

L'enseignement vise ici à former les jeunes dans des rôles professionnels spécifiques, ou en vue d'un autre emploi futur de leur temps et de leurs talents au cours de leur vie d'adulte. Une telle approche ne fait pas nécessairement de l'éducateur « le pantin de l'économie ou de l'État[2] ». Elle vise plutôt à rompre les barrières artificielles entre l'école et le monde réel, et plus précisément celles de la présumée infériorité des habiletés manuelles et organisationnelles. Les protagonistes de cette approche se sentent frustrés devant le manque de pertinence d'une bonne partie de l'enseignement actuel, et ils s'inquiètent de ce que cela risque de mettre en péril la prospérité et la vitalité futures de notre pays, tandis que nous accusons du retard dans la course du savoir face à des compétiteurs internationaux. « Les années quatre-vingt-dix ont vu l'émergence d'un nouveau système de valeurs, occupant une place prioritaire en éducation. Ce sont les valeurs qui appartiennent au monde des affaires et de l'industrie[3]. »

L'approche soi-disant académique

L'enseignement dans ce contexte, vise à promouvoir l'accès au savoir en communiquant aux enfants les habiletés nécessaires afin de les rendre capables de devenir des étudiants et possiblement des érudits. Le terme *académique* implique le développement des capacités de raisonnement logique et de déduction, ainsi que la connaissance propositionnelle ; ces capacités constituent les fondements mêmes de la philosophie, de la science et de la technologie occidentales depuis 300 ans[4]. Cette approche à l'enseignement, dite « académique », comporte néanmoins le risque de favoriser le repli, ou l'orgueil ou encore l'incapacité de réfléchir par soi-même. Au cœur même de ce modèle d'éducation est ce qu'on appelle « la discipline de la rencontre avec l'altérité[5] ». L'approche académique, lorsqu'elle est bien comprise, prépare les étudiants à affronter le monde du travail ; par exemple, il suffit de constater que les gradués du secteur classique sont embauchés dans tous les domaines industriels et commerciaux qui existent sur le marché.

L'approche idéologique à l'éducation

Dans cette conception, l'école devient le moyen d'endoctrinement privilégié pour inculquer aux jeunes gens des positions idéologiques spécifiques sur les plans culturel, politique ou religieux.

> *Elle illustre un mode de pensée... qui a parfois été associé à l'Église – comme durant la période de l'Inquisition – et qui a eu libre cours plus récemment dans les pays marxistes et dans l'Allemagne nazie... Sa justification se trouve dans une idéologie que l'on a pas le droit de remettre en question..., la présupposition d'infaillibilité, ou du moins d'une vérité révélée dirige toutes ses quêtes... Elle est intolérante et suspicieuse face à toute critique, et son style est déterminé moins par le désir d'encourager la poursuite de la vérité, que par celui d'atteindre des résultats sur le plan de la rhétorique[6].*

Une telle démarche est incompatible avec les approches académique et libérale à l'éducation, dans lesquelles les élèves sont encouragés à réfléchir par eux-mêmes. Elle ne concorde pas non plus avec le modèle d'enseignement utilitariste, car le monde d'aujourd'hui – qui est toujours celui de l'avenir – exige des personnes qu'elles ne soient pas programmées mais plutôt préparées à être flexibles et innovatrices. On ne saurait nier que l'endoctrinement idéologique se faufile parfois dans la salle de classe. Il est possible qu'il lave le cerveau des jeunes en leur inculquant certaines attitudes racistes ou sexistes : ce genre d'endoctrinement peut prendre la forme d'une idéologie politique ou religieuse. Et nous devons reconnaître que l'Église s'est rendue, de par le passé, parfois coupable de ce genre d'enseignement biaisé.

Cette question de l'endoctrinement est complexe. Le mot est parfois synonyme d'enseignement dans certains milieux. Le terme *endoctrinement* devient néanmoins inacceptable en éducation lorsqu'il est utilisé dans son sens négatif. Il n'est pas associé à un point de vue particulier, car tout point de vue a le potentiel de devenir de l'endoctrinement s'il est communiqué d'une manière qui, intentionnellement ou non, prive les gens de la possibilité de réfléchir librement à ses énoncés. Tout(e) enseignant(e) qui utilise son pouvoir de persuasion pour amener ses élèves à adopter certaines croyances ou valeurs d'une manière qui sabote leur capacité de réfléchir librement à ces questions, est coupable d'un tel endoctrinement. Lorsqu'il y a endoctrinement, on en voit facilement l'effet sur les personnes : comme le souligne avec pertinence la phrase du professeur Mitchell, le résultat est observable dans « des esprits fermés et des sympathies restreintes[7] ».

L'endoctrinement tel que défini précédemment, est plus subtil que nous le pensons habituellement parce que c'est dans ses omissions qu'il se montre le plus efficace : les élèves n'ont pas la possibilité de réfléchir à ce qui ne leur est jamais présenté. C'est de cette manière que l'endoctrinement au mode de vie athée et profane s'opère dans les sociétés occidentales actuelles.

L'approche morale et culturelle à l'éducation

Dans cette perspective, l'éducation se préoccupe des questions qui concernent les enjeux sociaux et les dilemmes qui se présentent à nous sur le plan de l'éthique. Certains cherchent à mettre l'accent sur une approche qui communique aux enfants les principes inhérents à l'héritage culturel et moral de la société occidentale ou à telle ou telle culture immigrante ; d'autres souhaitent, au contraire, transcender ces réalités pour promouvoir le multiculturalisme et la conscience globale, qu'ils conjuguent à des préoccupations environnementales. Ainsi, le *mouvement vert* a atteint un niveau considérable d'importance récemment dans les milieux de l'éducation.

L'approche morale et culturelle à l'éducation affirme que le but de l'enseignement devrait être moins la poursuite de l'autonomie, de l'utilitarisme ou de la connaissance comme tels, mais plutôt la formation des élèves selon des modèles de compréhension et de comportement qui ont fait leurs preuves au cours des siècles, ou encore qui sont sollicités avec urgence dans le monde actuel. Cette approche tend à placer beaucoup d'emphase sur l'expérience, sur la participation et sur l'imagination, et se préoccupe souvent du développement des élèves sur le plan spirituel. Nous avons déjà souligné que le fait d'exercer une influence sur les jeunes est inhérent à toutes les approches en éducation. Une telle influence ne devrait cependant pas inhiber la capacité de ces jeunes à réfléchir et à décider par eux-mêmes. Ils devraient se sentir libres de remettre en question idéaux, valeurs et pratiques, libres de les rejeter également, mais seulement après avoir eu l'occasion de les examiner, de comprendre ce qu'ils remettent en question, et si besoin est, ce qui est rejeté. Une occasion et un encouragement réels pour cela devraient être accordés aux enfants et ce, dès le début de leur apprentissage lorsqu'ils sont en bas âge.

L'ÉVANGILE ET LE BESOIN D'ÉQUILIBRE

Une éducation de qualité repose sur l'équilibre entre toutes ces approches à l'exception de l'approche idéologique, qui est incompatible avec les autres. Un projet éducatif qui repose sur une telle base ne peut faire autrement que d'avoir un fondement théologique solide. Nous ne sommes pas que des individus : nous sommes tous venus au monde avec des traditions en héritage, et nous croissons jusqu'à la maturité en tant que personnes dans un rapport de communion avec les autres. Une telle vision des choses est au cœur même de l'Évangile. Par ailleurs, chaque individu est fait à l'image de Dieu. Le don du raisonnement, bien que manifeste dans le monde animal sous une forme plus rudimentaire, est une des caractéristiques fondamentales de l'humanité ; ayant une forme plus articulée et consciente, ce don de la raison nous rend semblables à Dieu, des êtres faits à son image. C'est pour cela que tout projet éducatif devrait promouvoir la puissance du raisonnement. Une autre caractéristique fondamentale de l'humanité est sa capacité de volition ; l'être humain est capable de faire ses propres choix, et c'est là un autre aspect de l'image du Dieu dont nous tirons notre existence. Une éducation axée sur la liberté devrait encourager les personnes à faire un usage responsable de leur liberté.

L'homme et la femme sont faits pour travailler. Les chrétiens voient également dans le travail, un don de Dieu. D'après le livre de la Genèse, le travail fait partie de la condition humaine dont nous héritons en naissant. C'est donc là un rôle important de l'école que de donner aux personnes une formation suffisante pour les rendre capables de gagner leur vie une fois devenus des adultes. Dans son sens large, l'approche utilitariste en éducation est donc fondamentalement chrétienne dans son orientation, parce que l'Évangile souligne avec insistance que la mise en pratique est importante et que la mise à contribution des talents et des ressources est nécessaire. Le fait de se préoccuper d'efficacité et de rechercher le bien-être du plus grand nombre d'individus possible, sont des moyens de manifester l'*agape*, l'amour chrétien.

Pour que la valeur inaliénable et le caractère unique de chaque enfant soient respectés dans le projet éducatif, il est nécessaire de combiner les quatre approches éducatives que nous avons examinées antérieurement en insistant sur les points suivants : l'importance du savoir et de la compréhension, le besoin de chaque individu de pouvoir se tenir debout par lui-même dans ce monde, et la prise de conscience du lien naturel qu'il y a entre la vie humaine et la recherche de la vérité. Par ailleurs, il est évident que l'approche idéologique est incompatible avec la foi chrétienne (bien que les chrétiens en aient fait souvent usage de par le passé). Elle doit être rejetée parce qu'elle ne respecte pas le fait que chaque individu est porteur de l'image de Dieu, et qu'elle restreint la liberté de choisir et la capacité qu'a chacun de tirer ses propres conclusions sur le plan intellectuel.

LA PRÉDOMINANCE DU RELATIVISME

L'éducation, du moins en Grande-Bretagne, fait preuve d'un manque d'intégration nécessaire entre les différentes approches libérale, académique, utilitariste, et morale/culturelle à l'éducation, intégration qui rend possible un enseignement équilibré. Ce sont d'ailleurs les domaines de la morale et de la culture qui sont le plus dans le chaos. La plupart des spécialistes dans ces domaines ont perdu le nord. Ils affirment que le mieux qu'ils puissent faire est de rendre claires les différentes positions. Comme le souligne le professeur Pring :

> *Ce qui constitue le climat social et moral actuel est un manque de confiance dans toute forme d'autorité, et plus particulièrement dans le domaine des valeurs. Sans un consensus sur l'importance des valeurs traditionnelles, il n'est pas facile de savoir comment*

> *défendre et promouvoir un ensemble de valeurs plutôt qu'un autre*[8].

L'implication immédiate de cela est que seuls l'autorité et le consensus peuvent offrir une base adéquate pour les valeurs, et comme ces deux éléments font cruellement défaut dans une société pluraliste comme la nôtre, chaque individu est tenu de choisir ses valeurs par lui-même. Le problème qui est perçu de plus en plus par les professeurs et intervenants en éducation est que de telles valeurs individuelles influencent le processus de prise de décision publique, et que les enfants adoptent automatiquement les valeurs qui sont véhiculées par les adultes qui les entourent. De plus, quoique certains points de vue particuliers sur la loi morale aient pu être contestés et remis en question, les enseignants qui ont du discernement savent, malgré tous les efforts déployés pour éliminer les différentes formes d'expressions telles que « tu dois... », que ces impératifs sont toujours là, attendant dans l'ombre. Ils réapparaissent constamment sous des formes nouvelles et déconcertantes, mettant au défi d'anciennes certitudes, comme par exemple les valeurs de tolérance et d'ouverture face à certaines formes d'injustice telles que le racisme et le sexisme. Le mouvement féministe dans les écoles nous fournit un bon exemple de la manière dont les valeurs peuvent être influencées :

> *Le langage grossier et les allusions sexuelles ne sont plus la prérogative des garçons, semble-t-il... En pénétrant dans la sous-culture sexuelle masculine, les femmes ont tourné le dos à certaines valeurs importantes et intemporelles... Cela inclut l'amour, évidemment, en tant qu'ensemble d'émotions associées au sexe féminin et basées premièrement sur la recherche d'une alliance durable. La société occidentale a été, jusqu'à un certain point, établie sur ces fondements. Il vaudrait la peine de s'interroger sur les conséquences sociologiques et psychologiques éventuelles de la disparition de telles valeurs fondamentales*[9].

Les considérations religieuses et la reconnaissance des absolus semblent être automatiquement rejetées et considérées comme étant sans intérêt. Ce genre de relativisme est non seulement courant dans les approches éducatives actuelles mais cette attitude est ce qui a prévalu dans la recherche en éducation depuis plus de trente ans[10].

Les musulmans ont perçu ce relativisme comme une tentative de lavage de cerveau des enfants de familles musulmanes :

Si le curriculum, les méthodes d'enseignement et la culture de l'école sont basés sur une conception des valeurs qui fluctue selon les pressions sociales externes, plutôt que sur une philosophie de vie axée sur les valeurs absolues inhérentes à la nature humaine, lesquelles fournissent des normes universelles et immuables pour définir ce que sont la vérité, la justice, le droit, la liberté, la miséricorde, la compassion, l'honnêteté, l'amour véritable et la charité, les enfants de familles musulmanes subiront alors les effets dévastateurs du conflit qui a atteint les habitants de l'Angleterre au XIXe siècle et porteront ce sentiment de perte, cette incertitude et cette insécurité qui caractérisent cette fin du XXe siècle[11].

Compte tenu du relativisme ambiant au sujet des valeurs humaines et éthiques aujourd'hui, il manque dans les écoles les composantes essentielles à la poursuite d'une éducation équilibrée chez une personne. Il n'est pas difficile pour un chrétien de constater que l'« éducation en Grande-Bretagne reflète les valeurs aculturelles et les visées profanes de l'athéisme européen[12] ».

Ce que véhicule vraiment l'école

Après avoir examiné les buts de l'éducation et les différents présupposés qui la sous-tendent, nous allons considérer maintenant ce qui se fait réellement à l'école dans la pratique.

À un premier niveau, les buts que les gens se sont donnés et poursuivent en éducation sont communiqués d'une manière trop efficace aux enfants et aux jeunes. Le véritable problème n'est pas de savoir comment les aider à apprendre, mais ce qu'ils apprennent en réalité. Un enfant qui commence l'école a déjà maîtrisé un ensemble incroyable d'habilités et d'idées, lesquelles ont été acquises presqu'entièrement d'une manière autodidacte. Cette capacité d'apprendre ne disparaît pas comme par enchantement lorsque l'enfant entre à l'école. Celui-ci saisit très facilement les messages cachés véhiculés par l'atmosphère de l'école, par la qualité des relations dans celle-ci, par le tempérament et l'attitude des professeurs, et ainsi de suite, et le contenu de l'enseignement ne peut prévenir ce genre d'apprentissage. Ceci est tout aussi vrai pour les adolescents qui sont si sensibles à l'atmosphère et aux insinuations.

Lorsque les messages sont perçus de manière confuse, l'enfant ou l'étudiant aura des difficultés à s'adapter. Citons à titre d'exemple l'enfant de dix ans qui venait d'un milieu difficile et qui se vantait de ses prouesses au foot ; il a répondu, quand on lui a demandé s'il faisait partie de l'équipe de l'école, qu'il était trop doué pour cela. Une telle affectation reflète et renforce tout à la fois un manque de confiance en soi, surtout lorsque les messages les plus importants qui sont reçus, intentionnellement ou non, touchent les domaines de la compétitivité et de l'atteinte de standards établis par d'autres personnes.

Peut-être l'importance du développement personnel est-elle une question d'actualité justement parce que cette réalité fait si cruellement défaut chez les élèves et les étudiants de nos jours. Les systèmes scolaires témoignent d'un large éventail de victimes de toutes sortes. Beaucoup de spécialistes en éducation blâment l'école et la rendent responsable de cet échec ; pourtant, ils ne proposent pas non plus de solution pour contrer cet échec.

Ceci n'a, d'une certaine manière, rien d'étonnant. C'est une expérience unique dans l'histoire du monde que de tenter d'éduquer (à l'inverse de simplement former, instruire ou endoctriner) tous les enfants dans une société donnée. Toutefois, aucun spécialiste en éducation ne saurait s'empêcher d'être préoccupé face à la situation actuelle. Si les enfants sont capables d'apprendre si facilement, pourquoi est-ce si difficile de les motiver à le faire une fois qu'ils sont sur les bancs de l'école ? Quel que soit l'approche éducative et les objectifs poursuivis, la tâche de les réaliser est vécue dans nos écoles comme quelque chose de laborieux et de fragile. Même les partisans de l'utilitarisme et ceux qui prônent une forme ou l'autre d'endoctrinement ont des difficultés à ce point-ci. Les professeurs qui poursuivent les objectifs d'une approche libérale, ou académique, ou culturelle/morale de l'éducation, et qui le font avec sérieux, vont non seulement devoir travailler très fort pour les atteindre, mais ils ne réussiront à le faire qu'à des conditions qui vont affecter sérieusement leur équilibre nerveux. Pourquoi devrait-il y avoir autant d'importance accordée au maintien de la discipline, au besoin d'enseigner et de présenter les matières de manière stimulante, et à l'usage de la compétition et des examens pour pousser les élèves à travailler ? La cause principale en est l'atmosphère générale d'indiscipline et d'instabilité qui prévaut dans le milieu familial de tant d'élèves, et l'influence des médias de masse sur les enfants, sans compter le caractère artificiel associé au fait de rassembler des personnes du même âge pour leur prodiguer un enseignement obligatoire. Pour être en mesure d'apprendre facilement et efficacement, la liberté et la spontanéité sont nécessaires. L'apprentissage doit être adapté aux besoins et intérêts uniques de chaque personne, et cela est impossible à réaliser dans la situation des écoles actuelles qui sont surpeuplées et survoltées.

Il n'est donc pas surprenant de constater que les objectifs des éducateurs de l'approche libérale ne sont que très superficiellement atteints. Malgré un certain consensus théorique sur l'importance de l'autonomie personnelle, les étudiants ne reçoivent dans la pratique que très peu d'aide dans ce domaine. Voici un paragraphe tiré du rapport final du *National Extension College* sur un projet :

> *Les élèves de 6ᵉ n'ont pour la plupart jamais eu d'expérience d'apprentissage individuel... Par voie de conséquence, une faible minorité d'entre eux possèdent les habilités nécessaires pour planifier leur travail scolaire par eux-mêmes.*

C'est là un très lourd réquisitoire contre l'échec du système scolaire dans ses efforts pour assurer l'éducation des jeunes. Quoi que les intentions soient bonnes, la réalité est toute autre.

Cette incapacité d'aider les enfants et les étudiants à atteindre le niveau où ils seraient en mesure d'apprendre par eux-mêmes, et de faire preuve d'une réelle autonomie plutôt que de dépendance des professeurs, n'est en général pas imputable aux enseignants, bien que plusieurs de ces derniers aient tendance à sous-estimer grandement les capacités des enfants. En dépit des bonnes dispositions de la plupart des membres du corps enseignant, des exigences plus importantes ont tendance à avoir la priorité. Les profs ont des échéances à rencontrer, des objectifs à remplir, des sujets « essentiels » à couvrir, des examens et des bulletins à préparer, des réunions auxquelles ils se doivent d'assister, et des réponses à donner à un flot continu de demandes et d'initiatives. L'école est loin d'être l'endroit de détente suggéré par l'origine du mot (*scholè* en grec), ainsi que par la nature de la tâche qu'elle devrait contribuer.

À la lumière de ces considérations, il n'est pas surprenant que la consommation et le pragmatisme soient les deux principales leçons que les élèves apprennent réellement, quoique cela se fasse davantage par défaut que par ce qui est déclaré de manière officielle. Des écoles de toutes tendances, du primaire au secondaire, écoles publiques ou confessionnelles, en zones urbaine ou rurale, doivent constamment résister pour ne pas être les victimes d'une approche éducative rigoureusement utilitariste, selon laquelle seulement ce qui est pertinent dans l'immédiat ou vraiment utile à long terme saura avoir la priorité dans la répartition du temps, des ressources, du personnel, du prestige et de l'encouragement.

À un niveau inférieur – à l'exception de l'étrange session inspirationnelle – la plupart des écoles transmettent un humanisme moralisant, que l'on considère un peu comme un code de la route qui permet à la société de demeurer civilisée. Il est plutôt rare que l'on cherche de manière continue à répondre au scepticisme latent des jeunes qui se manifeste à un âge assez précoce. Un professeur du primaire m'a récemment confié à quel point les enfants de sept ou huit ans de son école sont perspicaces face à l'hypocrisie de certains professeurs qui affirment de manière simpliste qu'*il faut se montrer gentils envers les gens qui nous aident.* Il n'est pas surprenant qu'une fois ces enfants devenus adolescents, ils seront devenus imperméables aux tentatives chancelantes du monde adulte de leur faire la morale.

Un attachement modéré à l'hédonisme, l'individualisme et une certaine ouverture d'esprit sont les aspects-clés qui sont ressortis d'une étude entreprise en 1977 sur les croyances des jeunes. « Une forte aversion à l'imposition de convictions de la part d'autrui » fut un des éléments qui ont été retenus[14]. Leurs propres croyances semblaient superficielles, axées vers la consommation et le pragmatisme ; elles étaient teintées d'une certaine fascination pour les choses occultes. Ils accordaient leur confiance à ce qui était démontré par les faits et l'évidence scientifique ; ils ne voyaient aucun intérêt à développer une philosophie de vie qui soit réfléchie et fondée sur le plan intellectuel. Il n'y avait pas de place pour la religion dans leur vie. Je soupçonne que les quatorze ans qui nous séparent de l'époque où cette recherche a été menée n'ont altéré en rien ses conclusions sur les croyances de la majorité des jeunes. Voici une remarque très représentative d'un jeune de 6e dans un collège de confession catholique romaine :

> *Si les gens me demandaient si je vais à l'église, je leur répondrais d'un ton cassant : « Pour qui me prenez-vous ? Une espèce de fanatique de la religion ? » Ils riraient en entendant ma réponse, mais ils rigoleraient encore plus si je répondais : oui. Il faut bien le reconnaître. Les gens croient que si vous avez entre 13 et 18 ans et que vous allez toujours à la messe, c'est parce que : a) on vous oblige à y assister, b) quelque chose chez vous ne tourne pas rond, c) vous voulez vous faire sœur ou devenir prêtre*[15].

Le cynisme et l'absence de sentiment religieux s'accompagnent parfois d'un profond désespoir, surtout dans les cas où les perspectives d'avenir sont sombres et qu'il y a peu de chances de réussir ou d'améliorer sa situation personnelle. Dans son livre *Curriculum unmasked (le curriculum démasqué),* l'auteur Mark Roques affirme que l'apanage de plusieurs jeunes consiste à concevoir la vie comme étant dénuée de sens. Il soutient que « la mentalité des années quatre-vingt et l'état d'esprit qui prévaut actuellement dans nos écoles est nettement plus pessimiste que pragmatique[16] ».

Toutefois, on se doit de discerner une conscience plus grande parmi les jeunes des questions globales et environnementales, entraînant par le fait même un sens accru des responsabilités qui leur confère des qualités d'intendance. On note également une nette amélioration, dans certains domaines, de la compréhension des questions pluriculturelles. Bien qu'il soit imprudent de généraliser, il semble néanmoins évident qu'il y a davantage d'ouverture et de tolérance, ainsi qu'un réel souci de justice parmi les jeunes aujourd'hui, et il faut bien reconnaître qu'une partie du crédit pour cela est attribuable à leurs expériences scolaires. Cette amélioration au niveau des attitudes est, je crois, également perceptible dans l'image que certains jeunes se font de l'instruction religieuse. La place à l'amélioration a néanmoins toujours été et est encore très large.

Le rôle de l'instruction religieuse

Il est possible de cerner ce qui constitue la priorité dans les écoles en examinant ce qui est arrivé à l'enseignement religieux.

Lorsque la culture d'une société s'affiche ouvertement comme étant profane, ainsi que le fait la nôtre, il devient alors encore plus important d'aider les enfants qui sont privés de la possibilité d'être informés dans ce domaine à la maison à atteindre un niveau de conscience qui correspond à leurs capacités. Pour employer le jargon qui est utilisé actuellement dans le milieu de l'éducation, ils sont *habilités* à le faire. Les documents officiels, tels que le *Rapport Crowther* de 1959, le *Rapport Newsom* de 1963 et le *Rapport Plowden* de 1967, ont reconnu cela, et plus récemment, le *Education Reform Act* de 1988. Pourtant, le rôle de l'instruction religieuse dans les écoles a été systématiquement marginalisé au cours des ans. Elle est mentionnée comme étant fondamentale dans le *Education Reform Act,* mais on ne lui accorde pas le statut de matière principale, ce qui veut dire concrètement qu'elle va devoir continuer à lutter pour sa survie.

Ceci est appuyé par les statistiques fournies dans une brochure produite par le *Conseil d'Éducation Religieuse* et qui sont tirées de récentes découvertes du DES. Ces statistiques couvrent les domaines du personnel enseignant affecté aux écoles primaires et secondaires, des qualifications des professeurs, de la moyenne de temps qui doit être consacré à l'enseignement des matières, et des opportunités de formation en emploi. Les données pour l'enseignement religieux côtoient celles des autres matières obligatoires qui figurent dans le Curriculum National. Ce qu'on y découvre est plutôt troublant : le tableau qui en ressort montre que les ressources allouées sont extrêmement pauvres en comparaison des autres matières. La brochure donne, dans son introduction, un sérieux avertissement pour l'équilibre futur dans ce domaine :

> *Il est à craindre que le problème ne prenne des proportions énormes dans l'avenir. Sans une intervention directe pour recruter davantage de professeurs d'instruction religieuse et leur assurer une meilleure formation, les attentes face à l'enseignement religieux et le culte public, tels que spécifiées par le* Education Reform Act *risquent de n'être qu'une malheureuse illusion*[17].

La situation est encore pire qu'il ne paraît en réalité parce que ni la qualité de l'enseignement, ni le contenu de cet enseignement n'ont été considérés dans cette recherche. J'aimerais donc souligner trois questions qui méritent notre attention.

1. *L'éternel problème du rapport entre l'enseignement religieux et l'enseignement moral/social.* Un bref coup d'œil au contenu des documents *Agreed Syllabuses* qui ont été rédigés au cours des deux dernières décennies confirmera le manque de clarté dans la pensée, lorsqu'on suppose que l'instruction religieuse qui est largement *implicite* décharge le monde de l'éducation de la responsabilité d'aider les enfants à comprendre ce qu'est la religion.

2. *Une répugnance extrême à inclure la théologie dans l'enseignement religieux au primaire.* Ceci a été la tendance au cours des trente dernières années, depuis que Goldman a appliqué les découvertes de Piaget en psychologie à l'enseignement religieux. Le fait de parler de Dieu a été exclu des écoles primaires parce que cela semblait trop abstrait pour que les élèves soient en mesure de comprendre. La validité des conclusions de cette recherche a été sérieusement remise en question depuis, mais cela n'a pas encore eu d'impact sur ce qui se passe dans la classe[18].

3. *L'approche phénoménologique.* Depuis les années soixante-dix, cette approche a permis l'étude des religions autres que le christianisme dans la salle de classe, mais évidemment dans une forme accessible à une majorité de gens sans conviction religieuse[19] et de manière à éviter le plus possible la confrontation. Les critiques

venant des groupes musulmans, hindous, sikhs et d'autres groupements religieux ont mis en évidence à quel point, de leur point de vue, les leçons d'enseignement religieux étaient inutiles et profanes. Des thèmes tels que les fêtes et rites de passages, qui sont étudiés avec avidité dans des écoles où l'on cherche à établir un climat de tolérance face aux différentes religions, et qui sont abordés de manière à rendre le sujet intéressant et clair pour les élèves sans bousculer les susceptibilités des croyants ni troubler les consciences des incroyants, ne reçoivent généralement qu'un traitement sociologique, ou consistent en une information largement factuelle qui évite toute discussion sur les croyances fondamentales derrière le rituel dont on parle. Mark Roques considère que l'image qui est véhiculée dans l'école au sujet du christianisme est celle d'une façade religieuse à laquelle il faut participer lors des naissances, des mariages et des funérailles[20].

Le glissement vers l'enseignement moral, l'enseignement sociologique et le relativisme rend la condition moribonde actuelle en éducation religieuse encore pire que le suggèrent les tableaux du DES. Il ne faut pas non plus espérer que les choses s'améliorent du fait que des rassemblements pour le culte ont été légalement exigés. Une recherche menée par Bernadette O'Keefe, faite au *King's College* de Londres et publiée en 1986, a révélé que *dans la majorité des écoles du compté, il n'y avait plus à toutes fins pratiques, de rasssemblements cultuels ayant pour but d'exprimer une relation humaine avec le divin,* et que *la prière en tant qu'activité scolaire était considérée comme inappropriée compte tenu de la variété des arrière-plans religieux et profane des professeurs autant que des élèves.* O'Keefe conclut ainsi :

> *En cherchant à composer avec le pluralisme des élèves, l'Église et les écoles de compté évacuent la plupart du temps la foi de la culture, et en ce faisant, provoquent la fragmentation de l'intégrité et de l'unicité fondamentale de la vie humaine*[21].

Le point de jonction entre l'éducation et le christianisme

J'aimerais aborder ce sujet en utilisant une citation qui nous vient de l'Angleterre du XIVe siècle, citation qui va rappeler au lecteur l'énormité de la tâche à laquelle se consacre tout projet éducatif.

> *De plus, même la grammaire, qui est le fondement de toute éducation, confond le cerveau de la jeunesse actuelle. Si vous*

> *y prêtez attention, vous verrez qu'il n'y a pas un seul élève moderne qui soit capable de composer des vers ou d'écrire une simple lettre sans faute. Je me demande même si un élève sur cent est capable de lire un auteur latin, ou de déchiffrer telle ou telle expression tirée d'une langue étrangère. – Et ce n'est pas étonnant, car c'est M. Charlatan qui est directeur à chaque niveau de notre système d'éducation, et son collègue Flatterie le suit pas à pas. Et pour ce qui est des professeurs et des maîtres de théologie – ces hommes qui sont supposés avoir maîtrisé toutes les branches du savoir, et être prêts à débattre de toute question et savoir répondre à tout argument – j'ai honte de le dire, mais s'il fallait demain leur faire subir un examen sur le sujet des humanités et des sciences, j'ai bien peur qu'ils seraient recalés*[22] *!*

Même à l'époque où l'école était le privilège d'une minorité de la population et qu'elle était presque entièrement la responsabilité de l'Église, les résultats étaient décourageants. Du point de vue de l'un des observateurs les plus perspicaces de tous les temps, William Langland, auteur de *Piers Plowman*, l'adhésion publique au christianisme n'assurait pas nécessairement l'intégrité, le détachement et un enseignement équilibré.

L'éducation est, de par sa nature même, une chose précaire. Elle exige un climat de liberté à préserver, autant pour les professeurs que pour les élèves. Elle doit engager toutes les dimensions – à la fois le meilleur et le pire – de la nature humaine, y compris le potentiel d'indolence, de rigidité et d'égoïsme. Elle doit reconnaître le caractère unique inaliénable de chaque personne – chacun étant néanmoins lié organiquement à tous les autres à travers la famille, les liens d'amitié et la société. Chacun de ces trois éléments est ce qui fait la particularité et la fragilité de l'éducation dans son futur développement. Apprendre efficacement veut dire prêter attention, veiller..., comme le souligne Simone Weil dans le brillant exposé qu'elle fait sur la signification des études scolaires dans son livre *Waiting on God*[23]. C'est là une chose extrêmement difficile à faire. Le rôle de l'éducateur est de structurer l'environnement et d'inspirer par ses choix de contenus et de méthodes, afin que les élèves se découvrent un réel désir d'apprendre et soient ainsi capables de surmonter, tant à l'intérieur qu'à l'extérieur d'eux-mêmes, les différents obstacles qui captivent leur attention. Sans attention, tout apprentissage est impossible.

La prise de conscience de la complexité de la tâche pourrait nous garder de faire une analyse simpliste des courants actuels et de proposer des remèdes superficiels. Même si l'ensemble du personnel en éducation – les cadres, le personnel de soutien et les professeurs – était imprégné des principes de l'Évangile, la possibilité que la société ait une meilleure éducation serait certes plus grande, mais elle ne deviendrait jamais une *certitude*. Jésus, qui est pourtant l'éducateur par excellence, ne savait inspirer que ceux qui voulaient bien se laisser inspirer par lui. Il n'est donc pas surprenant de constater que ses disciples – ceux qui l'étaient de nom plus que de fait– aient eu, à travers les siècles, un taux d'échec assez énorme dans ce domaine.

Dans la société britannique, les chrétiens ont joui d'immenses privilèges. L'éducation était presque entièrement sous la responsabilité de l'Église jusqu'à ce que le *Education Act* de Foster, en 1870, établisse des commissions scolaires indépendantes de toute affiliation religieuse. Les premiers collèges de formation ont été fondés par des chrétiens et jusqu'à la fin des années soixante-dix, presque le tiers de tous les enseignants formés en Grande-Bretagne avaient été élèves dans des collèges dirigés par une dénomination chrétienne.

La sécularisation qui est une des caractéristiques essentielles du système actuel d'éducation, tire son origine d'une situation qui était auparavant appelée chrétienne. Des nouveaux facteurs sont maintenant responsables des formes variées de sécularisation qui se manifestent aujourd'hui. Toutefois, l'incapacité d'enseigner les gens de telle sorte qu'ils soient capables de relever ces défis sans succomber à l'engouement pour telle ou telle tendance ou croyance à la mode, nous convainc de la nécessité de découvrir quelque chose de plus fondamental.

Le défi de l'Évangile

Il est incontestable que l'Évangile constitue un défi majeur face à tout ce qui se passe actuellement dans le milieu de l'éducation, sur les plans autant théorique que pratique. Il soulève des questions pénétrantes face aux *a priori* et priorités qui ont cours en ce moment.

Il apporte à l'éducation une perspective éternelle – tout apparaît sous un jour nouveau lorsque cela est perçu *sub specie aeternitatis,* comme le dit si bien saint Augustin. Les affirmations chrétiennes quant à la réalité de Dieu, à sa présence incarnée dans la structure même du monde actuel et de l'histoire, et à la primauté de la dimension spirituelle de la vie humaine, sont encore aujourd'hui, comme elles l'étaient lorsque Paul écrivait aux Thessaloniciens, assez puissantes pour transformer le monde. Des qualités telles que l'amour, le pardon et la sainteté, jaillissant du désir sincère et persévérant de suivre le Christ, ont une influence créatrice partout où elles sont manifestées.

Elles ont le pouvoir de transformer tout projet éducatif en une expérience profondément significative.

Nous nous devons de renoncer à nos retranchements devant la sécularisation. Les chrétiens doivent devenir suffisamment confiants pour être capables de défendre les principes de l'Évangile. Ils doivent porter une attention toute spéciale aux paroles que Lord Jakobovits de la Chambre des Lords a prononcées le 3 mai 1998 :

> *La leçon que j'ai apprise dans les écoles qui affichaient une véritable confiance dans leur christianisme, c'est d'être fier en retour de mes origines juives. J'ai aussi découvert que ceux qui apprécient le mieux les autres religions sont ceux qui considèrent leur propre foi comme un trésor à chérir.*

Toutefois, une telle confiance ne devrait jamais se manifester dans l'agressivité ou la suffisance. Les chrétiens, dans le dialogue avec les spécialistes en éducation, devraient reconnaître qu'il ne leur est tout simplement pas possible de s'en laver les mains.

Une citation suffira à rappeler au lecteur que les principales causes de ce mouvement loin de la religion sont l'esprit d'amertume sectaire et l'attitude dogmatique qui se retrouvent chez beaucoup de chrétiens. Écoutons Lord Brougham, lequel était l'un des pionniers en éducation populaire. En réaction aux violentes querelles qui avaient cours entre chrétiens en 1830, il dût se résoudre à voter en faveur d'un système d'éducation purement séculier. C'est dans l'exaspération qu'il affirma :

> *La législature se sent paralysée devant les affirmations des différentes factions de l'Église et de l'État, et elle ne tend pas la main pour délivrer les personnes que la Providence a placées sous ses soins, de peur que des blessures ne soient infligées à certains par les nœuds des théologiens qui troublent ses oreilles de leurs cris comme ils ont troublé leur propre cerveau avec leurs controverses*[24].

Bien que la majorité des chrétiens d'aujourd'hui veuillent se dissocier d'un tel sectarisme, son effet se fait néanmoins toujours sentir autour de nous. De plus, cette hésitation à prendre la défense d'autrui est toujours actuelle, comme le démontre le manque de générosité à l'égard des enfants qui proviennent de foyers de religions différentes, dans les écoles confessionnelles qui, selon Bernadette O'Keeffe,

> *refusent de traiter avec sérieux les dimensions religieuses chez les enfants non chrétiens qu'ils considèrent pourtant importantes sur le plan éducationnel pour les enfants chrétiens*[25].

Une telle situation appelle un changement du cœur. Les chrétiens ont besoin de reconnaître dans la marée actuelle de sécularisme, les eaux d'un châtiment sous lesquelles l'Église a besoin d'être submergée, afin d'être purifiée de l'étroitesse d'esprit et du fanatisme, des fausses priorités et de toutes les formes d'idolâtrie dont elle s'est rendue coupable, au fil du temps, en avilissant ainsi l'Évangile aux yeux de l'ensemble de nos contemporains à travers tout le monde occidental.

En reconnaissant la malencontreuse validité des principales critiques venant des partisans de l'école laïque, les chrétiens seront alors en meilleure position pour mesurer la valeur du sécularisme lui-même. Cela devrait les garder de le rejeter trop facilement du revers de la main comme étant d'emblée idolâtre et méchant. Ils devraient plutôt être en mesure de discerner plusieurs éléments essentiels très pertinents et utiles qui ont été mieux compris et préservés dans les milieux séculiers que dans les cercles religieux. Adrian Hastings, qui est professeur de théologie à *Leeds University*, a décrit la vie vécue dans son milieu académique comme étant *de toute évidence plus propice au développement de la courtoisie, de la confiance, de la gentillesse, de l'amabilité et du sentiment de justice que le christianisme lui-même*[26].

Ceci ne veut pas dire que l'Évangile ne soit pas de suprême importance ; ce que cela veut dire en contrepartie est que le fait d'affirmer que l'on est chrétien n'offre pas la garantie que l'on est bon, car les religions, y compris le christianisme, peuvent devenir ennemies du bien. Cela veut dire également qu'il y a une forme de sécularisme qui est noble, inspiré, ayant des qualités spirituelles élevées et capable de communiquer ces qualités efficacement. L'excellence d'une bonne partie du livre de Mark Roques se trouve gâchée par ce qu'un critique a appelé une simplification à outrance de deux seuls points de vue opposés, la perspective biblique et l'*idolâtrie*. Marius Felderhof s'interroge : une culture pluraliste comme la nôtre peut-elle être rejetée en bloc en la classant simplement dans le dossier *point de vue idolâtre sur le monde*[27] ?

Les chrétiens ont la responsabilité de lutter contre les imperfections et les aspects négatifs du monde contemporain, mais ils doivent également en soutenir joyeusement la finesse. En fait, nous avons, nous croyants, de nombreux alliés dans le monde séculier. Il n'y a pas de dichotomie réelle entre l'éducation comprise dans son véritable sens et la foi chrétienne. Rien dans le profil éducationnel idéal défini précédemment n'est incompatible avec l'Évangile.

La révélation ouvre les yeux sur ce qui existe vraiment ; de même l'éducation cherche à cerner ce qui existe. Il est impossible à un robot de recevoir une révélation ; de même l'éducation ne saurait se satisfaire de ce qui n'est pas, de l'erreur, de l'aveuglement, ou du malentendu. *Lumière* est le mot qui convient tout autant à la révélation qu'à l'éducation.

Ce n'est que lorsque l'éducation refuse d'être vraiment ce qu'elle doit être qu'elle s'oppose aux valeurs de l'Évangile, c'est-à-dire quand elle devient exclusive, qu'elle érige des barrières devant les autres formes de connaissance.

La centralité de l'épistémologie

Le fait qu'on dise de nous, à juste titre, que nous savons, soulève une des questions cruciales qui se posent aux chrétiens dans le monde d'aujourd'hui. L'influence de tous les différents -ismes tels que le positivisme et le relativisme, dont nous avons parlé plus tôt dans le présent livre, et qui opèrent puissamment dans les milieux scolaires, a comme conséquence que nous ne saurions rendre justice à l'Évangile tant que les vérités que nous proclamons n'occuperont pas une place centrale. Comme le souligne avec pertinence Leslie Newbigin :

> *L'Église existe en tant que témoin de certaines convictions face à une situation, face à des faits et non des valeurs. Ce point de vue est exclu d'emblée du domaine de ce qui est enseigné aux enfants comme la vérité dans l'école publique*[28].

Toutefois, la proclamation de suffit pas, car cela sera perçu – et dans une certaine mesure avec justesse – comme une forme de positivisme qui remplace le statut d'autorité absolue que se donne la science, par une conception aussi autoritariste de l'Écriture, de l'Église ou de l'expérience individuelle.

Le problème est ce que l'on entend par « fait » : il ne peut pas s'agir ici de ce que l'Église affirme, parce qu'il arrive à l'Église de se tromper à l'occasion, et de déclarer des choses qui sont contradictoires. Ainsi, l'appel à la révélation est un appel à ce que je considère, ou plutôt à ce que nous considérons comme digne de confiance.

Les chrétiens ont la responsabilité de réfléchir à ces questions difficiles et d'encourager leurs élèves et étudiants à faire de même. Leslie Newbigin considère que :

> *... les signes de tels efforts sont là, mais sur une trop petite échelle jusqu'à présent. Nous chrétiens ne saurions échapper au défi intellectuel de taille qui se pose à nous ; sinon nous risquerions de devenir inutiles face au monde réel*[29].

L'ouverture grandissante que nous sommes en mesure de percevoir face à la science, ainsi que la conscience accrue chez les professeurs du fait qu'il soit impossible d'éduquer sans véhiculer certaines valeurs, révèle que le relativisme est en train de supplanter le positivisme en tant qu'ennemi en éducation.

Une fois de plus, les chrétiens doivent être prudents ici, car le relativisme exerce une influence subtile sur l'enseignement de la religion. Chaque fois que le christianisme ou toute autre religion sera présenté comme le point de vue particulier de tel ou tel groupe d'individus sur la vie et la foi, nous serons certainement, dans le climat d'opinion actuel, en train de subir l'influence du relativisme. La seule manière d'éviter cela est d'aborder les questions du point de vue de ce qui est vrai, et d'inviter les personnes à réfléchir à ce qui est supporté par l'évidence des faits.

La principale raison qui empêche les professeurs chrétiens de faire cela est le fait qu'ils ne veulent pas endoctriner. Dans les générations passées, les éducateurs chrétiens ont souvent essayé, à tort, d'imposer la foi aux jeunes en croyant que ceux-ci allaient automatiquement se mettre à croire, ou du moins qu'ils se devaient de croire. Nous devrions, en effet, faire bien attention en tant que chrétiens, et ne jamais utiliser le chantage ou la pression « culpabilisante » lorsque nous présentons les vérités de la foi chrétienne[30]. Cela ne veut pas dire cependant qu'il faille ne rien dire du tout, ce qui ne ferait que permettre à une autre forme d'endoctrinement d'entrer en jeu. Cela veut dire plutôt d'exprimer les certitudes chrétiennes d'une manière qui invite à la réflexion, sans en forcer le processus ni les résultats. Une telle ouverture, qui encourage le dialogue plutôt que la passivité, est en parfait accord avec les méthodes pédagogiques de Jésus lui-même[31].

Ce point est d'une importance capitale aujourd'hui, à la lumière des recommandations du *Education Reform Act* de 1988 en ce qui concerne l'enseignement religieux des écoles qui sont à prédominance chrétienne. Une telle emphase pourrait donner l'impression d'une forme d'impérialisme à ceux qui ne fréquentent pas l'Église et qui constituent la majorité dans les milieux éducationnels. Pourtant, le christianisme n'a rien à voir avec l'impérialisme. Lorsqu'ils se confondent, c'est alors le signe d'une maladie grave. Les chrétiens devraient être au fait de ces dangers et aider les élèves et étudiants à savoir faire la différence. Le but de cette législation n'était pas de dénigrer les autres religions, mais d'assurer que l'essentiel des traditions chrétiennes qui font partie intégrante de la culture de ce pays ne soient pas négligées. Malheureusement, le fait que l'acceptation de la législation fut en quelque sorte forcée, a amené une plus grande polarisation dans le débat du christianisme versus les autres religions. Si nous voulons diminuer les tensions dans cette polarisation, il nous faudra faire preuve de sensibilité, de compréhension et d'honnêteté.

Conclusion

Que devons-nous faire pour que nos principes et nos méthodes éducatives reflètent davantage les valeurs de l'Évangile ? Je voudrais terminer ce chapitre en tirant quatre importantes conclusions :

1. La valeur primordiale de l'éducation dans le choix des valeurs et des croyances

Cette tâche devrait être le but de tout projet éducatif, d'abord en apprenant aux élèves à réfléchir à ce qui leur est communiqué, autant à l'intérieur comme à l'extérieur de l'école, et ensuite en les invitant à choisir par eux-mêmes leur propre forme d'engagement individuel. Ceci devrait être perçu comme faisant partie d'une quête de la vérité qui dure toute la vie et pour laquelle les convictions des autres devraient être examinées avec sérieux. Les élèves devraient être aidés dès le primaire à établir des critères qui vont leur permettre d'avoir du discernement face aux croyances et valeurs ambiantes. Certains de ces critères ont été mentionnés par Hugh Montefiore dans l'introduction de son ouvrage (p. 9-10) et par d'autres intervenants également (p. 31ss., 54ss., 69ss., 97ss., 125, 156ss., 180ss.).

2. Assurer une place suffisante pour une éducation religieuse en profondeur

L'instruction religieuse est d'une importance capitale, et elle doit occuper la place qui lui revient, bénéficier des ressources et du personnel qui lui sont nécessaires. De plus, il nous faut entreprendre des recherches sérieuses afin d'aider les enfants à parvenir à une vraie compréhension des concepts véhiculés dans ce domaine, et en particulier le concept de Dieu. Nous devons faire entrer la théologie dans la salle de classe d'une manière qui la rende accessible même aux petits, afin qu'ils soient encouragés à réfléchir sur ces questions d'une manière qui correspond à leur groupe d'âge. Les résultats de récentes recherches ont montré que leur capacité dans ce domaine est beaucoup plus grande que le pensent les adultes, dans la mesure où l'on évite le jargon des spécialistes et que les concepts sont expliqués d'une manière qui correspond aux limites d'entendement de l'enfant.

Un des exemples les plus touchants de la force et de l'authenticité de la foi d'un enfant est donné par Jack Priestly, qui raconte avoir entendu Robert Coles, professeur de psychiatrie à Harvard, expliquer en quoi il était redevable dans sa carrière à une jeune personne appelée Ruby :

> *Elle était noire et elle désirait aller à l'école pour apprendre à lire et à écrire. Le fait qu'elle assiste à une école réservée aux blancs conduisit à un boycottage des écoles dans la Nouvelle-Orléans. Tandis que les autres s'intéressaient aux* rednecks *(cous rouges), comme on les appelait, c'est-à-dire tous ceux qui s'assemblaient chaque jour le long de la route qu'elle prenait pour se rendre à l'école afin de crier des injures et lancer des menaces de violence et de meurtre à une fillette de 6 ans, M. Coles observait plutôt Ruby. Il s'attendait à ce qu'elle craque sous la pression des circonstances. Elle ne le fit pas. Il fut très étonné de constater que non seulement elle supportait tout cela, mais il découvrit qu'elle priait pour ces rednecks la prière suivante : « Seigneur, pardonne-leur car ils ne savent pas ce qu'ils font*[32]. »

3. Un souci pour tous les aspects du processus

La question des priorités est fondamentale. Ce n'est pas la bonne volonté qui manque. La plupart des professeurs désirent vraiment offrir une véritable éducation, et encourager le développement de l'imagination, de la réflexion et des autres aspects de la croissance spirituelle. Mais les défis de la vie quotidienne à l'école et les attentes des parents, des commissaires et de leurs employeurs, les obligent à adopter une attitude pragmatique qui transforme rapidement leur travail en classe en routine. L'idéalisme avec lequel les professeurs avaient entrepris leur formation est rapidement dilué par les pressions de l'école moderne.

Les mesures suivantes vont sans doute paraître radicales mais elles me semblent néanmoins essentielles.

a) *La situation réclame que nous nous orientions vers une approche intégrée d'apprentissage qui transcende la division de la matière en sujets.* Les recommandations du *National Curriculum Council* ne disent pas que les matières doivent être couvertes selon des horaires spécifiques de leçons sans liens les unes avec les autres. Différents ajustements sont possibles et l'école jouit d'une grande liberté dans ce domaine, comme nous le constatons dans le milieu scolaire.

Lorsque le projet éducatif est défini dans chaque école et que la rigidité dans les programmes est abandonnée au profit d'une plus grande flexibilité, cela engendre davantage d'implication de la part des professeurs comme des élèves. La façon dont les plans de cours sont établis devrait aider les professeurs à prendre conscience que l'apprentissage ne se fait pas dans l'isolement, et que ce qu'ils enseignent en science, ou en français ou dans toute autre matière affecte l'apprentissage des élèves dans tous les autres domaines du savoir, de par le renforcement de certains préjugés, de certaines attitudes et de leurs conséquences.

b) *La situation réclame que les professeurs soient centrés sur la personne plutôt que sur la matière.* Dans certaines maternelles et prématernelles (*Enlightened infant schools*) on a compris depuis longtemps comment l'éducation peut être centrée sur la personne. Une telle approche devrait être appliquée à l'ensemble du système scolaire. Lorsque les écoles sont trop grandes pour cela, les structures devraient être adaptées pour permettre une atmosphère de petite école à l'intérieur de la grande école. Les professeurs devraient se voir non comme les pourvoyeurs d'un enseignement spécialisé mais comme des éducateurs. La situation réclame un changement d'attitude de la part des professeurs, et j'ai le sentiment que la plupart de ces derniers seraient disposés à un tel changement si celui-ci était encouragé par le système scolaire.

c) *La situation réclame que la technologie moderne soit mise au service d'un apprentissage axé sur la personne, autant dans son contenu que dans son rythme.* Les bénéfices potentiels de la technologie en éducation sont énormes et couvrent tous les domaines du savoir. Celle-ci peut aider grandement le professeur à remplir la tâche quasi-impossible de communiquer l'information, et de la préparer en portions et d'une manière qui soit intéressante et accessible aux enfants. Le temps que les professeurs consacrent à la préparation en vue de couvrir la matière et de répondre aux besoins des élèves les empêche bien souvent d'avoir la fraîcheur inspiratrice et l'ouverture, deux éléments qui sont essentiels si on veut être efficace en tant qu'éducateur. De plus, l'utilisation de l'ordinateur sur une grande échelle élimine le besoin d'une forme figée d'enseignement magistral dans la classe. Les implications de cela sont renversantes, pour peu qu'on les examine.

d) *L'importance du suivi individuel en éducation.* Le professeur devrait se donner comme mandat de suivre attentivement les progrès individuels des élèves, en les encourageant et en leur suggérant des objectifs réalistes. Cela veut dire réserver du temps pour écouter les élèves, parler avec eux, et avoir des échanges en groupe qui soient significatifs et authentiques, sans oublier les différentes formes d'activités communautaires et de partages entre élèves, afin de dispenser une véritable éducation, tout en offrant aux professeurs un niveau de plaisir et de satisfaction maximal.

David Aspen, qui est professeur en éducation au King's College, à Londres, termine ainsi son chapitre sur les nombreux problèmes qui se posent en éducation dans une société multiculturelle : *Ce qui nous reste en fin de compte, ce sont des gens qui sont en dialogue les uns avec les autres*[33]. L'Évangile n'est-il pas lui aussi une rencontre ?

On devrait tenir compte de ces différents points dans chaque école. Mais les écoles dites *chrétiennes* ne devraient-elles pas se montrer avant-gardistes dans ce domaine, du moins quelques-unes de ces écoles, et se faire les pionnières d'une démarche courageuse visant à poursuivre des objectifs véritablement holistiques en éducation ?

4. L'importance pour les chrétiens de devenir des autodidactes

Pour être plus en mesure d'exercer une influence salutaire sur le processus de l'éducation, pour apprendre aux enfants à réfléchir et pour apporter le support et l'encouragement dont les professeurs ont besoin, les chrétiens ont besoin de développer davantage de curiosité sur le plan intellectuel ainsi qu'une capacité d'apprendre par eux-mêmes. Ce n'est pas seulement parce que l'éducation est quelque chose qui se fait à la maison et à l'Église autant qu'à l'école. Mais c'est aussi parce que, dans une société séculière comme la nôtre, qui met autant d'emphase sur l'éducation, les chrétiens devraient rendre témoignage de leur foi en évitant toute provocation inutile et en réduisant au minimum les obstacles qui se dressent devant tant de personnes pour les empêcher de comprendre l'Évangile.

L'Église devrait encourager tous ses membres à poursuivre des objectifs personnels et continus d'éducation. Frances Young a souligné dans son discours inaugural du 5 mai 1987 à l'université de Birmingham, le caractère remarquable de la rigueur dont faisait preuve l'Église des premiers siècles :

> *... l'assurance avec laquelle elle recherchait la vérité, la hardiesse dont elle a fait preuve dans son esprit critique, et sa détermination à éduquer ses membres afin qu'ils atteignent un haut niveau de connaissance des questions en jeu. Le pasteur moyen d'aujourd'hui pâlirait en lisant certains sermons qui ont été adressés aux aspirants membres de l'Église aux IVe et Ve siècles : ils sont caractérisés par une*

> *argumentation serrée et bien fondée, parce que les chrétiens de l'époque devaient comprendre les implications de leur foi face à un monde devenu pluraliste. La spiritualité et le raisonnement allaient de pair*[34].

Que ceci soit un portrait idéalisé de l'Église des premiers siècles ou non, il n'en demeure pas moins qu'une telle compréhension de l'éducation n'a jamais été aussi nécessaire qu'à notre époque.

Traduction : Richard Ouellette / Éditions la Clairière

Notes du chapitre 13

---

1. M. Tasker, *Values and Teacher Education*, article produit pour le National Association for Values in Education and Training (mai 1990).
2. D. Plunkett, *Secular and Spiritual Values* (Routledge, 1990) p. 117.
3. M. Tasker, op. cit.
4. K. Robinson, *Royal Society of Arts Journal* (juillet 1990) p. 352 et suivantes.
5. M. Reeves, « Why History ? » dans R. Niblett (ed.), *The Sciences, the Humanities and the Technological Threat* (University of London Press, 1975) p. 124.
6. C. Cox et R. Tingle, « The new barbarians », *The Salisbury Review* (octobre 1986).
7. B. Mitchell, « Indoctrination » dans *The Fourth R* (SPCK, 1970) p. 358.

8. R. Pring dans J. Thacker, R. Pring et D. Evans (eds), *Personal, Social and Moral Education in a Changing World* (NFER-Nelson, 1987) p. 27.
9. C. Ulanovsky, *New Values* 3 (printemps 1990).
10. J. Wilson, « Relativism and consumerism in educational research », *Educational Research* 32.2 (NFER, 1990).
11. S. A. Ashraf dans B. O'Keeffe (ed.), *Schools for Tomorrow* (Falmer, 1988) p. 71.
12. E. Hulmes dans un document non publié et servant à des fins de discussion et d'échange pour le groupe de discussion sur l'éducation « The Gospel and Our Culture ».
13. *National Extension College Report : Flexible Learning Project in Small Fifth and Sixth Forms* (1985).
14. B. Martin et R. Pluck, *Young People's Beliefs* (Church of England Board of Education, 1977).
15. Brochure compilée par le St Francis Xavier's Sixth Form College (1988) p. 12.
16. M. Roques, *Curriculum Unmasked – Towards a Christian Understanding of Education* (Christians in Education, 1989) p. 89.
17. *Religious Education : Supply of Teachers for the 1990s*, Religious Education Council pamphlet (1989).
18. Le livre de R. Goldman, *Readiness for Religion* (1962) a connu une très grande popularité auprès des lecteurs. Depuis, Piaget et Goldman ont tous deux été fortement et tout à fait justement critiqués, e. g. par O. Petrovich dans sa thèse de doctorat en philosophie à Oxford (1989).
19. N. See a souligné les déficiences de l'approche phénoménologique, soulignant le besoin d'un *rapprochement* avec l'approche confessionnelle au RE en argumentant que s'il en était autrement, on faisait violence à l'expérience dans son ensemble : « Conflict and reconciliation between competing models of religious education : some reflections on the British scene », *British Journal of Religious Education* (été 1989) p. 126-35.
20. M. Roques, op. cit., p. 88.
21. B. O'Keeffe, *Journal of Beliefs and Values* 10.2 (1989) p. 9. Le travail de recherche a été publié dans *Faith, Culture and the Dual System : A Comparative Study of Church and County Schools* (Falmer, 1986).
22. Langland, *Piers the Ploughman* (Penguin Classics, 1989) p. 228.
23. S. Weil, *Waiting on God* (Fontana, 1959) p. 66-75.
24. Lord Brougham dans *Gladstone Tract* 24 (Hawarden : St Deiniol's Library, 1839) p. 47.
25. B. O'Keeffe, op. cit. (note 21) p. 9.
26. A. Hastings, *The Times Educational Supplement* (7 septembre 1990).
27. M. Felderhof, *The Gospel and Our Culture Newsletter* 4 (hiver 1990) p. 3-4.
28. L. Newbigin dans *The Place of Christianity in Religious Education* (Action Group for the Encouragement of Religious Education, mars 1989).
29. L. Newbigin dans L. Francis and A. Thatcher (eds), *Christian Perspectives for Education* (Fowler Wright Books, 1990) p. 99.
30. Cf. B. Mitchell, op. cit., p. 353-8.
31. Cf. D. Plunkett, op. cit., p. 135. Une livre peu connu de D. S. Hubery fournit un court résumé de ceci : *The Teaching Methods of Jesus* (Chester House Publications, 1970).
32. J. Priestley dans *Personal, Social and Moral Education in a Changing World*, p. 120.
33. D. Aspin dans *Schools for Tomorrow*, p. 48.
34. F. Young, *The Critic and the Visionary* (University of Birmingham, 1987) p. 10.

Conclusion

VERS UN NOUVEAU PACTE LAÏC

Glenn Smith

Depuis 30 ans, les débats sur le verrouillage confessionnel augmentent. Malgré l'abrogation de l'article 93 de l'Acte de l'Amérique du Nord britannique, il reste évident que lorsqu'une société vit selon le paradigme des structures, toute nouvelle réflexion est oubliée et même écartée du débat public.[1] Comment discuter un programme d'enseignement sur les valeurs et le rôle de la religion pour notre société si les questions de structures prédominent ? Comment élaborer une pédagogie efficace dans un tel contexte ?

Il est temps de faire place à une laïcité québécoise.

Le débat sur la laïcité

Nombreux sont les intervenants qui se sont prononcés devant la Commission des États généraux sur ce sujet. Laïcité ouverte, laïcisation de l'école publique ne sont que deux des expressions qui se font entendre depuis une décennie.

Historiquement, l'école laïque représentait la réponse à une institution ecclésiastique dite « englobante ». Jean Bauberot (président et directeur des études en histoire et en sociologie de la laïcité à la Sorbonne) décrit la laïcité comme une invention française, « un peu comme dire que le TGV est une invention française[2] ». La République ne lui reconnaît aucun culte et les organisations religieuses sont des associations de droit privé. Cette séparation existe depuis 1905 et en France, les Églises sont des personnes morales de droit privé. En 1946 et en 1958, la laïcité a été inscrite dans la constitution française mais il est précisé que « la République (...) laïque (...) respecte toutes les croyances ». La laïcité française respecte donc les cultes, elle est le fondement d'un libre pluralisme religieux. (En France, depuis dix ans, on se pose la question à savoir s'il ne faut pas augmenter les informations données à l'école publique et laïque sur les religions. Des initiatives ont commencé à être prises en ce sens.)

Dans une telle perspective, la religion « affaire privée » entraîne sa propre dissociation des grandes institutions de la société et la non-reconnaissance de sa légitimité : elle n'exerce plus une mission de service public et sa possible utilité sociale est mise entre parenthèses. Ces deux caractéristiques coexistent avec la troisième : la liberté religieuse.

Parmi les intervenants sur le sujet qui ont présenté un mémoire devant la Commission des États généraux sur l'éducation, on a pu y entendre la CEQ. Malgré le discours (et la révision de l'histoire) du syndicat, une telle évolution historique et division des référents comme en France ne se sont jamais produites au Québec[3]. La Centrale décrit une laïcité désirée sans que cette dernière préconise un dialogue approfondi avec les différents partenaires en éducation dans la société québécoise.

Nous devrions donc chercher à établir une sorte de pacte laïc entre les diverses parties qui prendrait en considération les droits de tous les participants, qu'ils soient antagonistes ou complices. Comme toute construction sociale, un tel pacte serait façonné par le contexte dans lequel il serait élaboré ainsi que par les tensions existantes entre les différents partenaires. Il résulterait donc d'un compromis qui donnerait, cependant, une légitimité certaine à la laïcité.

La laïcité au Québec : est-elle viable ?

Si on laisse de côté la question de la laïcisation de l'État (toute reconnaissance de l'Être suprême dans la Constitution, l'utilisation de la Bible dans les cours de justice, les déductions dans les déclarations de revenus, ex. : dons et œuvres de charité religieuses), est-il désirable « d'expurger les articles rattachés au caractère confessionnel des structures supérieures de l'enseignement et des écoles[4] ».

Plusieurs études soulignent le désir des Québécois d'avoir l'école confessionnelle, malgré le déclin de l'importance de la religion dans la société[5]. En juin 1996, le sondage Léger & Léger a révélé que « soixante-sept pour cent des répondants jugent important ou très important qu'une école puisse se donner un statut particulier au plan des options religieuses ». Le sondage a révélé que 62 pour cent des répondants opteraient pour une école confessionnelle, 14 pour cent pour une école non confessionnelle et 23 pour cent ont indiqué que le statut de l'école leur importait peu. Et sur l'île de Montréal, jusqu'à 52 pour cent des répondants opteraient pour une école confessionnelle[6].

Or, l'aspect le plus intéressant parmi les résultats touche au respect qu'ont les répondants pour la nécessité d'avoir le choix à un enseignement soit religieux ou moral. « Quatre-vingt-onze pour cent des répondants estiment en effet que dans une école, un élève devrait pouvoir choisir entre les deux options. » Le respect pour ce choix se manifeste dans le cadre de la perspective de l'existence des autres religions. Soixante pour cent des répondants disent que si le nombre le justifie, l'école doit offrir un enseignement religieux autre que catholique ou protestant. Même dans une école sans étiquette religieuse (« neutre ») les répondants optent à 83 pour cent pour qu'un enseignement religieux y soit offert. Somme toute, l'obligation de recevoir un enseignement religieux ou moral est reconnue par neuf personnes sur dix. La seule variable importante à cet égard appartient aux répondants « sans appartenance religieuse ». Moins on s'attache à des croyances, moins on veut que l'école offre le choix à l'enseignement moral ou religieux[7].

À la lumière de ses résultats, il est évident qu'une solution imposée par un groupe d'intervenants, ou parachutée de l'extérieur vient à l'encontre de ce que la population souhaite. Comment donc élaborer, comme dit Julien Harvey, une laïcité adaptée au Québec ?

Problèmes fondamentaux

Trois raisons qui appuient la laïcisation de l'école sont souvent citées. D'abord la société contemporaine distingue clairement entre le public et le privé. La sphère publique de notre réalité se traduit par ce qu'on appelle « les faits ». C'est le domaine du cognitif – les chiffres, la science, ce qui est objectif. La sphère privée touche aux croyances – les émotions, les sentiments, ce qui est subjectif. De toute évidence, et selon cette répartition, la religion est une « affaire privée ».

À ceux qui critiquent les religions ou qui s'opposent à elles, la privatisation du fait religieux permet d'accéder à un système d'éducation neutre. Souvent, on entend : « L'école, ce n'est pas la place de la religion ! » Mais, dans ce cas, un nouveau problème surgit : celui de concilier la religion « affaire privée » et la liberté religieuse de ceux qui sont convaincus que la religion comporte nécessairement une dimension sociale. Dans le sondage de Léger & Léger, 81 pour cent des parents (80 pour cent des autres répondants) qui choisissent l'enseignement religieux pour leurs enfants prétextent que leurs enfants pourraient ainsi mieux distinguer entre le bien et le mal. Les pourcentages de ceux qui choisissent l'enseignement moral pour le même motif sont sensiblement les mêmes. Il semble donc que les parents québécois désirent donner un enseignement à leurs enfants qui s'inspire d'une réflexion sur la transcendance qui s'intègre au domaine public.

Une deuxième raison qui croît en popularité veut que l'enseignement religieux relève du foyer et de la paroisse. Cette question, il me semble, a fait place à peu de débats. Or, quel parent désire que son enfant reçoive un enseignement de valeurs à l'école qui va à l'encontre des valeurs qu'il lui inculque à la maison ? Une réplique à ce deuxième problème fondamental – en plus d'être une raison pour retirer l'enseignement religieux de l'école – devient en retour une très bonne raison en faveur du choix des parents aux options dans la grille-horaire. Encore une fois, le sondage de Léger & Léger souligne l'importance que les parents donnent à ce principe maintenant enchâssé dans la Charte des droits et libertés de la personne (article 41) et la Loi sur l'instruction publique (article 5).

La troisième raison que les gens invoquent pour retirer la religion de l'école est reliée à notre contexte pluraliste. « Dans une société pluraliste où la diversité ethnoreligieuse ne cesse de croître, on ne saurait cependant apprendre à vivre ensemble sans partager une culture commune. » Un tel constat a besoin d'être nuancé. Il y a une énorme différence entre le pluralisme culturel et le pluralisme religieux. Par exemple, la vaste majorité des 21 000 immigrants en provenance d'Haïti qui sont arrivés au Québec dans les années 80 adhéraient au christianisme. Les deux tiers des immigrants au Canada se disaient catholiques ou protestants au moment de leur arrivée au pays. Une croissance pluriethnique n'entraîne pas nécessairement une diversité religieuse du même ordre. L'immigration au Québec depuis 30 ans est faite à grande majorité de chrétiens de traditions protestante, catholique et orthodoxe. Par contre, selon le recensement de 1991, seulement trois pour cent de la population québécoise dit être d'une religion autre que le christianisme.

C'est avec le pluralisme idéologique qu'il faut faire une distinction. Selon le sociologue Peter Berger, cette vision de la réalité comprend la relativisation de toutes les normes de ses croyances[8]. Selon le recensement de 1991, quatre pour cent de la population

Tableau

Les affiliations religieuses au Québec

(répertoriées par langue maternelle)

Affiliations	Francais	Anglais	Total	Qc	Canada
Catholique romaine	5 259 145	249 005	5 861 205	86 %	46 %
Protestante	101 835	224 585	398 730	6 %	36 %
Orthodoxe de l'Est	5 435	8 260	89 285	2 %	1 %
Aucune affiliation	163 875	51 605	262 800	4 %	13 %
Autres affiliations	11 705	10 910	100 500	1 %	3 %
Juive	14 100	54 780	97 730	1 %	1 %

Source : Statistique Canada 1991

(Les langues autres que le français et l'anglais ainsi que le choix multiple de langues maternelles autres que le français et l'anglais n'apparaissent pas ici mais sont inclus dans le total.

québécoise se dit « sans aucune affiliation religieuse ». Au Canada, ce pourcentage de la population s'est accru de 1 pour cent (en 1961) et jusqu'à 13 pour cent (en 1991). Peut-être la question de la laïcisation est-elle débattue par ceux et celles qui veulent un système conforme à leur vision « sans référence religieuse » de la réalité plutôt qu'un système qui manifeste un égard à l'endroit des parents ou des immigrants qui choisissent le Québec comme terre d'adoption.

Vu ces trois problèmes fondamentaux, il faut écouter attentivement l'expérience qui émerge de l'autre côté de l'Atlantique, en France. La sociologue Danièle Hervieu-Léger a très bien démontré que l'absence de l'enseignement religieux dans les écoles publiques depuis un siècle a largement contribué à un manque de compréhension du fait religieux dans la culture et dans les arts en Europe. Cette carence se manifeste aussi par la méconnaissance des conflits religieux dans le monde contemporain[9]. Le laboratoire Histoire et sociologie de la laïcité de la Sorbonne explore à nouveau comment former des éducateurs capables d'enseigner la religion dans les écoles françaises.

Principes d'une laïcité québécoise

J'aimerais suggérer quatre caractéristiques d'une laïcité contextualisée[10].

1. Il faut démasquer le mythe de la neutralité.

Il n'y a pas d'école qui soit vraiment « neutre » dans ses valeurs ; il n'y a pas de professeur qui soit entièrement « objectif » dans son enseignement. Il n'y a pas de plan de restructuration scolaire qui soit sans préjugé sur le plan éthique. Lorsque le gouvernement dit qu'il veut instaurer des commissions scolaires sans référence confessionnelle, nous n'osons pas être aveugles ou naïfs. La vision du monde des administrateurs et des commissionnaires ne va pas changer du jour au lendemain. Les commissions scolaires linguistiques ne sont pas une solution magique aux défis que représente l'éducation.

Il est évident que la conduite humaine – inclut le comportement dans l'arène publique et se produit dans le cadre de valeurs souvent appelées paradigmes ou modèles. Ceci reprend une vision du monde qui donne aux actions une raison d'être, ce qui a pour résultat de diriger notre vie et de lui donner un sens. Les croyances idéologiques spirituelles et religieuses des gens font partie intégrante de leur vision du monde.

C'est pourquoi il est impossible de dissocier les valeurs de l'idéologie et de la religion et de les retirer de la sphère publique. *Le Petit Robert* définit la religion comme un principe supérieur de qui dépend la destinée de l'homme et à qui obéissance et respect sont dus.

Ainsi, l'avenir de la société, parce qu'il traite de questions supérieures et d'importance, revêt une nature religieuse et se focalise sur les valeurs.

La religion touche à notre spiritualité. La religion se tient au cœur de notre nature humaine. On naît en posant des questions comme : « Qui suis-je ? Quelle relation dois-je avoir avec les autres ? Avec mon environnement ? Comment réussir à comprendre ce monde ? » De telles questions exigent des réponses afin de nous donner une raison d'être et de procurer un sens à nos vies.

Les tentatives de retirer la religion du dialogue public proviennent de croyances partiales qui remettent en question la pertinence de la religion dans la sphère publique. Cette idéologie ou religion (comme on la définit) cache un sécularisme : une conception de la vie ou de n'importe quel aspect de la vie basée sur le principe que la religion et les considérations religieuses devraient être ignorées ou intentionnellement exclues.

La religion ou l'idéologie informe les visions du monde qui sont à la base de tout plan politique ou de la même manière à la base de toute entreprise du domaine public.

> Pour le débat actuel, l'enseignement sur la religion et la spiritualité est indispensable si nous voulons préparer nos enfants avec un cadre de référence pour une société postmoderne et postindustrielle.

2. Il faut mettre la priorité sur le droit des parents et l'initiative locale.

La préoccupation des gouvernements du Québec de déverrouiller le système confessionnel d'en haut est voué à l'échec. Si un groupe de parents veulent un certain type d'éducation et qu'ils peuvent démontrer que cette éducation peut être offerte de façon responsable selon la mission d'éducation établie par l'État et les normes requises, le gouvernement devrait, par conséquent, statuer en faveur de cette éducation et fournir les fonds nécessaires à sa réalisation.

Une laïcisation du système doit venir des parents et des services qu'ils demandent pour leur école. Dans une telle optique, les instances supérieures existeront afin d'assurer que la mission de l'éducation se réalise. L'*imputabilité* sera le mot d'ordre dans un système décentralisé de cette façon.

La responsabilité des parents à l'égard de l'éducation de leurs enfants s'avère un aspect fondamental de la présente loi qui régit l'éducation publique. La loi 107 personnifie le respect pour la responsabilité parentale dans le domaine des objectifs des politiques éducatives, des conseils d'orientation, des projets éducatifs, des décisions officielles et de l'éducation de l'enfant[11]. Le gouvernement a incorporé le droit au choix, particulièrement pour l'éducation religieuse de l'enfant, avec l'article 41 de la Charte des droits et libertés de la personne[12].

> La responsabilité parentale à l'égard de l'éducation d'un enfant découle de la vision du monde du parent et des valeurs qui expriment ce qu'il considère important pour ses contextes et expériences de vie. La Charte, de son côté, s'engage à augmenter le pouvoir des parents en matière d'éducation. Elle ne cherche pas à leur enlever leur autorité pour des fins politiques discutables.

3. Il faut avancer un pluralisme fondé sur un civisme public.

Vivre selon une éthique exige que les individus et les sociétés entières distinguent clairement les éléments qui doivent être tolérés et ceux qui doivent être célébrés. Aujourd'hui, beaucoup de Québécois ont tendance à croire que la tolérance est une vertu en elle-même, comme si tolérer les différences était un acte admirable. Pourtant, la plupart d'entre nous ne veulent pas d'une société qui tolère qu'on use de violence à l'endroit de ceux qui nous contrarient ou qui appuie l'ancienne pratique chinoise consistant à bander les pieds des femmes. De plus, trop parler de tolérance empêche de mettre en évidence les différences qui sont dignes de célébration.

> Le temps n'est-il pas venu d'enseigner que nos réponses à la diversité culturelle, religieuse et ethnique dans la société contemporaine doivent être nuancées ?
> Par exemple, je veux que mes trois filles célèbrent la diversité ethnique dans leur ville. Certaines choses (comme les différentes fêtes religieuses) peuvent être respectées sans que nous y participions. Nous allons tolérer certains aspects de la diversité (lorsque mes voisins d'Asie parlent dans leur langue sans que je ne les comprenne). Certains aspects de la diversité devront être assimilés. (Nous ne tolérerons jamais qu'un Australien conduise son véhicule du côté droit). Et finalement, la société québécoise devra abolir certaines pratiques ici qui émergent de la diversité croissante (la circoncision chez les femmes).

4. L'enseignement public ne doit pas dispenser un enseignement confessionnel de la religion.

Même si l'application est difficile à poursuivre, une distinction entre l'enseignement de la religion et un enseignement *sur* la religion devrait être respecté. L'enseignement sur la religion invite l'élève à rechercher, à comprendre, à réfléchir. L'enseignement *de la* religion désire évoquer l'engagement. Le Conseil supérieur de l'éducation a avancé un programme intéressant dans son rapport annuel en 1993.

Or, par conséquent, il serait irréaliste, même naïf, de croire que l'on pourrait offrir un programme moral naturel comme proposé dans le rapport du Groupe de travail sur les profils de formation au primaire et au secondaire.

> Nous pensons plus réaliste d'affirmer les droits des parents de choisir le programme de morale ou de morale et de religion qu'ils désirent pour leur enfant selon l'article 41 de la Charte et l'article cinq de la loi 107, et de permettre aux minorités religieuses d'élaborer des programmes locaux comme envisagés dans l'article 228 de la loi.

Un nouveau pacte laïc est tout à fait possible à condition que le gouvernement cesse d'insister uniquement sur des solutions « structurelles » et que tous les partenaires soient invités à collaborer à sa mise sur pied.

Mais ce pacte doit d'abord s'établir avec un souci pour l'éducation des enfants et non avec des intentions de faire des gains idéologiques.

Notes de la conclusion

---

1. Une des rares exemptions est l'article de Julien Harvey, *Une laïcité scolaire pour le Québec,* Relations, septembre 1992, p. 213-217.

2. Consultez l'article de Baubérot dans cet ouvrage : *Églises et États demain l'Europe.* L'auteur veut remercier le professeur Jean Baubérot pour sa contribution personnelle à l'élaboration de cet article. Baubérot a écrit plusieurs articles et livres sur le sujet. *La laïcité dans l'Europe des 12* est un excellent survol sur le sujet.

3. Voir : *Éducation – se donner une école qui rassemble.* Cahier CEQ, juin 1994.

4. Ibid.

5. Jean-Pierre Proulx a analysé les 23 sondages menés depuis 1964 sur la religion et les écoles. Consultez : « La religion à l'école québécoise, l'évolution de l'opinion publique (1964-1996) » dans *Religion, éducation et démocratie,* éd. M. Milot et F. Ouellet (Montréal : Harmattan, 1997) p. 79-104. Dans sa conclusion (p. 99), il souligne ce fait. Micheline Milot nuance ce fait dans un article publié dans le même volume (p. 118).

6. Lemieux, M., « La confessionalité scolaire ». Sondage téléphonique. Québec : le Groupe Léger& Léger, (960523 - 960602).

7. Ibid. Consultez aussi le sondage : « Les stuctures confessionnelles du système québécois. Sondages auprès de la population du Québec », (Montréal : Sondagem, 1996) pour les nuances par rapport aux questions posées.

8. Berger, Peter, *A Far Glory* (Toronto : Doubleday, 1993) p. 68-69.

9. Danièle Hervieu-Léger (éd.) *La religion au Lycée,* Paris : Cerf, 1992.

10. Jean Baubérot a proposé cinq principes « des caractéristiques précieuses de la laïcité française », p. 161. La CEQ en propose huit (Cahier, 1994).

11. Yvonne Martin, *A Comparative Legislative Analysis of Parent Participation in British Columbia, Alberta and Quebec. Education and Law Journal,* Vol. 4, no.1, p. 65-85.

12. Glenn Smith, *La Charte au sein de la classe : l'enseignement religieux dans les écoles publiques,* p. 119-123.

INDEX DES NOMS ET SUJETS

Table des matières

AGMV
MARQUIS
Québec, Canada
1998